デジタル×地方が牽引する

2030年
日本の
針路

江川昌史 アクセンチュア
代表取締役社長

藤井篤之 アクセンチュア ビジネス コンサルティング本部
マネジング・ディレクター

日経BP

目次―― デジタル×地方が牽引する 2030年日本の針路

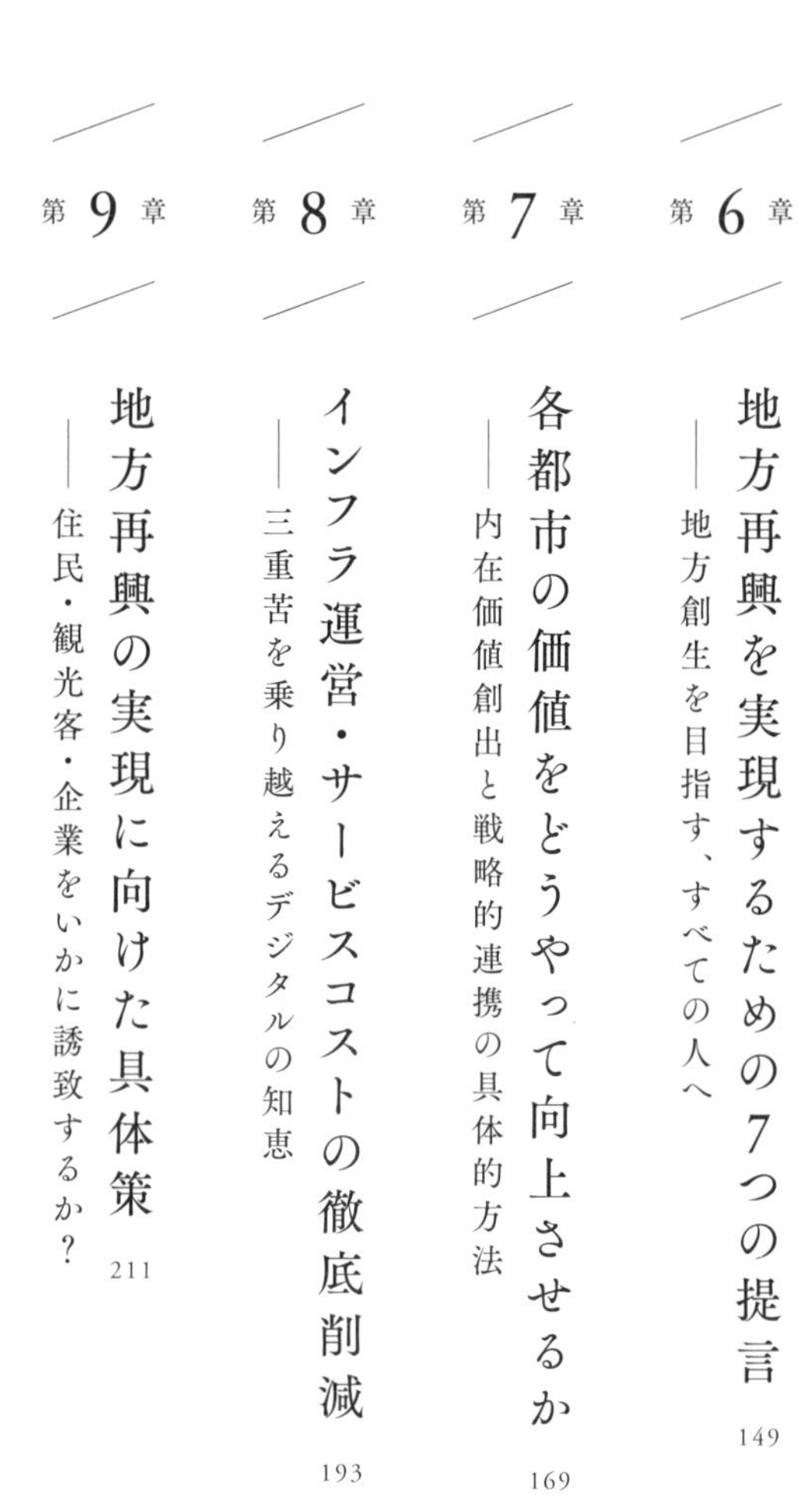

はじめに

2018年の夏休み、当時大学生の長男と中学生の次男を連れて、東北地方をめぐる旅をした。

青森まで新幹線で行き、そこからレンタカーを借りて弘前（青森）ではねぷたを、平泉（岩手）では中尊寺を、仙台（宮城）では七夕まつりを観た。どれも素晴らしく、日本の地方都市文化の力強さや美しさを堪能した。道すがら、震災の跡地にも立ち寄ってみることにした。宮城県女川（おながわ）町である。

女川町は、2011年3月、東日本大震災で住宅の7割を大津波によって流出する未曽有の被害に遭遇した。それから7年。海岸付近には何もなくなっていたが、商店街や高速道路は新しくなり、家は高台に移っていた。

真新しい建物や道路を眺めながら、様々な想いが込み上げ、胸が熱くなった。

大自然が時としてもたらす恐ろしい破壊力、港町女川をどうにか復興しようと努力を積み重ねる人々の懸命な想い、それでもなお取り戻すことの難しい町の風情や活気など、失われたものの大きさは計り知れない。

多くの方々の献身と努力によって、ハードや機能面を中心に新たな町づくりは始まっている。だが、本当の意味でこの場所に町としての命を新たに吹き込むのは、そこで暮らし、喜怒哀楽を繰り返しながら生きていく人間の営みそのものなのだと、あらためて考えさせられた。

その頃からかもしれない。町とは何か、地方都市の未来はどうあるべきかについて真剣に考えるようになったのは――。

その後も様々な地方都市を訪問する中で、自分なりに気づいたことがある。「地方創生」を考えるとき、「地方」を一括りにして対策を考えても意味がなく、地域が独自に持つ特色や個性を生かす方向で対策を考え、講じる必要があるということだ。

例えば、アクセンチュアは東日本大震災以降、社会貢献活動の一環として福島県会津若松市の復興に深く関わってきた。会津若松市は人口12万人の地方都市で、自然、歴史、温泉、グルメなどの観光資源や会津大学など良いものをたくさん持っており、ある意味有利な地方都市と言える。もちろん、有利だから復興支援を始めたわけではない。震災後に何らかの形で東北地方の復興に役立ちたいと、人の伝手をたどった結果が会津若松市だったのである。その後、復興に関わらせていただき、会津の土地が有する良さがどんどんわかってきて、とても有利な地方都市だと気づいたのだ。

地方都市の中には、人口数万人、あるいは数千人と非常に規模が小さく、人材や観光資源、財源などに限りがあるところも少なくない。こうした自治体は、少子高齢化で人口減少が進む中、「自前主義路線」で戦っていては生き残りが難しい。近隣都市や、場合によっては遠く離れた都市とタッグを組んで、新たな生き残り策、価値の創出ができないかを模索する必要がある。

こうした生き残り策を実行していくうえで追い風となっているのは、デジタルテクノロジーの進化・深化だ。

デジタルやシェアリング・エコノミーなどの新しいテクノロジーや思想を活用することで、地方都市に住む人々が圧倒的な低コストで心豊かな生活を送れる仕組みがつくれるのではないか——。私の中でそんな構想が次第に頭をもたげてくるようになった。

地方都市は元来、土地や住居にかかるコストが低い。これに加えて、生活に欠かせない電気のコストも、太陽光発電や蓄電技術の進化で今後下がる可能性が高い。また、今やパソコン一台あればリモートで仕事をこなし、都会並みの教育やエンターテインメントにもアクセスできる。2020年春、コロナ禍により在宅勤務を余儀なくされた方の多くは、それを強く実感したのではないだろうか。さらに、5G（第5世代移動通信システム）やxR（空間拡張技術）が本格的に進展すれば、リモートで実現可能なエクスペリエンスの質やカテゴリーが一層増えてくるだろう。ただ、地方都市に住む人は、残念ながらこの事実には気づいていないことが多い。

また最近、いくつかのベンチャーが地方都市に移転し始めているが、非常に合理的な考えだと思う。成功するかどうかわからないうちは、地方にいたほうが、リスクは少ないし、メリットを大きく感じられる。

ベンチャーだけではない。都会で買い物難民になっている高齢者や、高い生活コストを強いられる中、最小限の出費で暮らしている方々のニュースを見るにつけ、アンマッチが起きていると感じる。もちろん、長年住んでいた場所を離れて新たな生活を始めるのは、心理的にも現実的にも難しいことが多い。

しかし、２０３０年に向けた日本社会の針路を再考する中で、大都市や地方都市がそれぞれの特徴や強みを活かした町づくりを進め、人々が住む場所や生活の仕方を柔軟に変えることができれば、社会全体の生活の質・人生の質（ＱｏＬ＝クオリティ・オブ・ライフ）を高めることができるのではないだろうか。昨今、資本主義社会の限界が露呈する中で、ＧＤＰに偏らずＱｏＬを含めた、より広い指標で国の豊かさを測る議論が活発に行われ始めているが、「ＱｏＬとは何か」がまだ定まっておらず、具体的なイメージをつかむのは難しい。そこで、「デジタル×地方」が実社会でいかに新たなＱｏＬエコノミーを形成し、地方の価値を解放することができるか。何かしらの示唆となれば、という想いで本書をつづる。

折しも、本書の最終稿を確認している2020年春、人類は歴史的な危機に直面している。世界中で猛威を振るう、新型コロナウイルスだ。私は、人類が英知を結集することで、この恐ろしい脅威にもいずれは打ち勝つことができると信じている。

一方で、落ち着きを取り戻した後、コロナ以前の世界に生活が戻るのかといえば、そうは思わない。私たちが今、思考すべきは「ポスト・コロナ（コロナ後）」の世界における新たな価値観や常識だ。これを機に、社会のデジタル化が一層加速し、テレワークや在宅医療、遠隔教育などが定常化すれば、地方社会にとってはプラスだろう。

さらに、誰もがどこからでも仕事をこなせる社会を経験した後、都市、および職場という「場」の持つ本質的な意味合いとは何なのか。大都市であれ、地方であれ、再考を迫られている。

同様に、平常時では一定の時間がかかる「ニュー・ノーマル」へのシフトが、一気に進む可能性もある。これは他人事ではなく、兆候はすでに見え始めている。例えば不動産会社などでは、都心のオフィスビルよりシェアオフィスの売り上げがあがるなど、以前とは様変わりしている。物事の本質的な価値や意味合いの変化と、「ポスト・コロナ」時代の世界のあり方に関して、真剣に検討を始める時が来た。

急激な変化は、時に人を不安にさせる。そして、残念ながら未来を正確に予測することは誰にもできない。しかし、身近な子どもたちの笑顔を見るにつけ、世界、そして日本社会をより良い形で後世に残したいという気持ちは、万人に共通する。その想いこそが、「ポスト・コロナ」の世界で正しい一歩を踏み出すための礎（いしずえ）となるだろう。本書に記した内容を、皆さんとともに進化させ、実践することで、日本全体の活性化に貢献していきたいと切に願っている。

日本社会の未来づくりに、本書を少しでも役立てていただければ幸いです。

2020年5月吉日

江川　昌史
（アクセンチュア株式会社 代表取締役社長）

第1章

地方部が抱える深刻な課題

データで見る都市と地方の厳しい現実

２０１４年9月に、第2次安倍改造内閣が「地方創生」というキーワードを掲げてからはや5年以上の歳月がたとうとしている。

「地方創生」とは、首都圏への一極集中を是正しつつ地方の活性化を実現し、ひいては日本全体の人口減を食い止めていくための総合戦略である。今や国内政策の目玉の一つとなっており、２０１９年６月に閣議決定された「まち・ひと・しごと創生基本方針２０１９」の中でも、

(1)地方にしごとをつくり、安心して働けるようにする
(2)地方への新しいひとの流れをつくる
(3)若い世代の結婚・出産・子育ての希望をかなえる
(4)時代に合った地域をつくり、安心なくらしを守るとともに、地域と地域を連携する

という４つの基本目標が定義されている。

地方創生が、日本国の抱える社会課題への解決策として全国民の重大な関心事となり、地方や国、また民間が一体となって懸命に様々な政策や対策を進めている。しかし、現在のところ、日本の人口動態、特に少子高齢化の進展度合いや、東京をはじめとする首都圏一極集中の状況はほとんど改善されておらず、様々な統計指標から関連する数字を拾ってみると、状況はむしろ悪い方向に推移している。それだけ、この「地方創生」という言葉

に内包される社会課題が根深く、複雑であるのだ。

少子高齢化や地方創生は日本が課題先進国として取り組まねばならないテーマである。海外にも個別に参考になる事例はあるが、包括的な対応策は日本が試行錯誤を繰り返しながら見いだし、海外に示していくべきものだ。それゆえ先陣を切る国としての苦悩もあるだろう。本書では、「ソサエティ5・0」という政府が掲げる理念を具現化する中で、いかに地方社会、ひいては日本全体が再び輝きを取り戻せるのか、アクセンチュアのこれまでの経験や知見も踏まえて述べていきたい。

本章ではまず、日本の将来に深刻な影響を及ぼす少子高齢化の状況と、地方が抱える課題について、あらためてデータをもとに問題点を整理していく。状況を熟知されている方は、本章は適宜読み飛ばしても構わない。

1／止まらない少子高齢化と大都市への一極集中

人口減少と増え続ける高齢者比率

日本の人口は、2008年の1億2808万人をピークに減少を続けている。少子高齢

図1-1：日本の年代別人口構成と推移

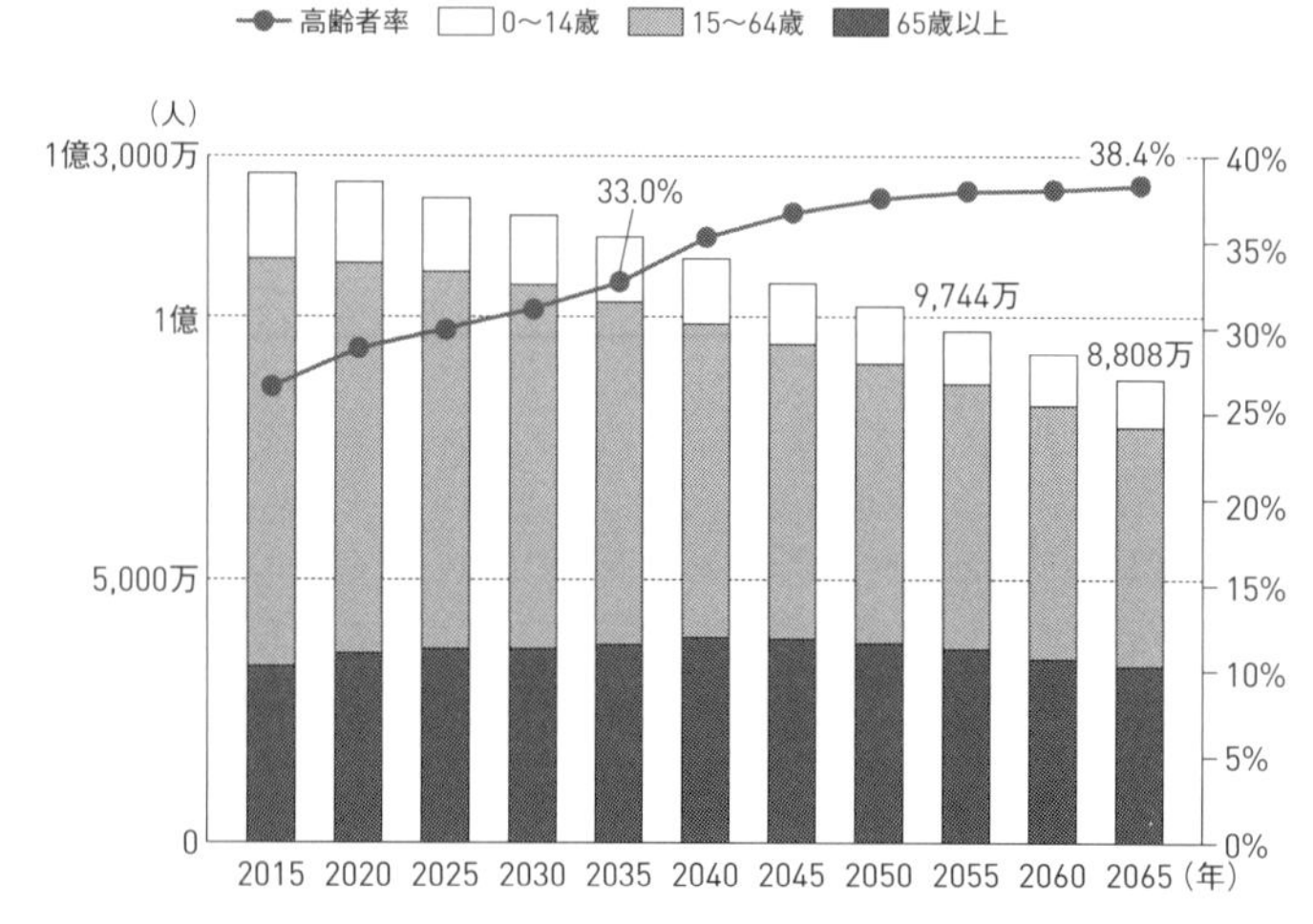

〈出典〉国立社会保障・人口問題研究所「日本の将来推計人口（平成29年推計）」より作成

化によって、生産年齢人口の減少を伴う総人口の減少は、今後ますます加速する見込みで、2053年に総人口は1億人を割りこむと予測されている。2014年12月に国が掲げた長期ビジョンでは、「2060年に1億人程度の人口を維持する長期展望を提示する」と書かれているが、グラフを見ると、維持どころか低下の一途をたどっているのが現実だ。

厚生労働省が発表した人口動態統計によると、2018年の出生数は91万8400人で、前年の94万6146人より2万7746人減少し、1899年の調査開始以来、過去最少だった。合計特殊出生率（1人の女性が15歳から49歳までに産む子どもの数の平均）は、前年比0・01ポイント減の

1・42で、出生数、出生率ともに3年連続の減少となった。現在の人口を維持するには2・07の出生率が必要であり、かなり危機的な状況にあることがわかる。当然、子どもを産む、産まない、何人産むといったことは個々人の価値観に関わるので、国が強要すべきことではない。しかし、何らかの事情で産みたくても産めない、という人は一定数いると考えられる。

出生率が下がる一方で、厚生労働省が出している平成30年簡易生命表によると、日本人の平均寿命は伸び続けており、2018年時点で女性が87・32歳、男性が81・25歳となっている。その結果、高齢者（65歳以上）の人口は4000万人程度で安定的に推移している。国民が長生きできる社会であることは非常に素晴らしく、他国に誇れることだと個人的には思っているが、一方でこのことが少子化と結びつくと、高齢化率が急速に高まる。実際、出生率が下がって人口が減り、高齢者人口が横ばいとなっているため、このままいくと、2035年の総人口に占める高齢者の比率は33%、2065年には38・4%に達する見込みだ。そうした状況を踏まえて、社会の仕組みをどう変えていくかという課題が浮かびあがってくる。

都道府県ごとの事情はまったく異なる

一口で人口減少といっても、その状況は都道府県によってかなり異なる。一般的に人口の増減は、自然動態と社会動態に分けて分析される。自然動態とは、出生や死亡による人口の増減、社会動態とは転入・転出に伴う人口の増減を指す。また、転入・転出には、国内での移動のほか、国外含めた移動もある。

日本全体を俯瞰（ふかん）すると、総人口は右肩下がりで減り続けているが、人口が増えている都県が7つある。2018年のデータでみると、東京都、埼玉県、沖縄県、愛知県、千葉県、神奈川県、福岡県の7都県では、人口が増加している。沖縄県を除くと、大都市を抱える都県ばかりだ。実は沖縄県とそれ以外の6都県では、人口の増加理由が異なる。沖縄県では、自然動態（出生率は2019年現在、46年連続トップ）も社会動態もプラスだが、残りの6都県は自然動態では減少しているけれども、社会動態でそれを上回って増加しているのだ。

大都市への転入者が多いということは、それ以外の都市から人口が流出していることでもある。

図1-2：北海道と全国の人口推移の比較（2015年の人口を100とした場合）

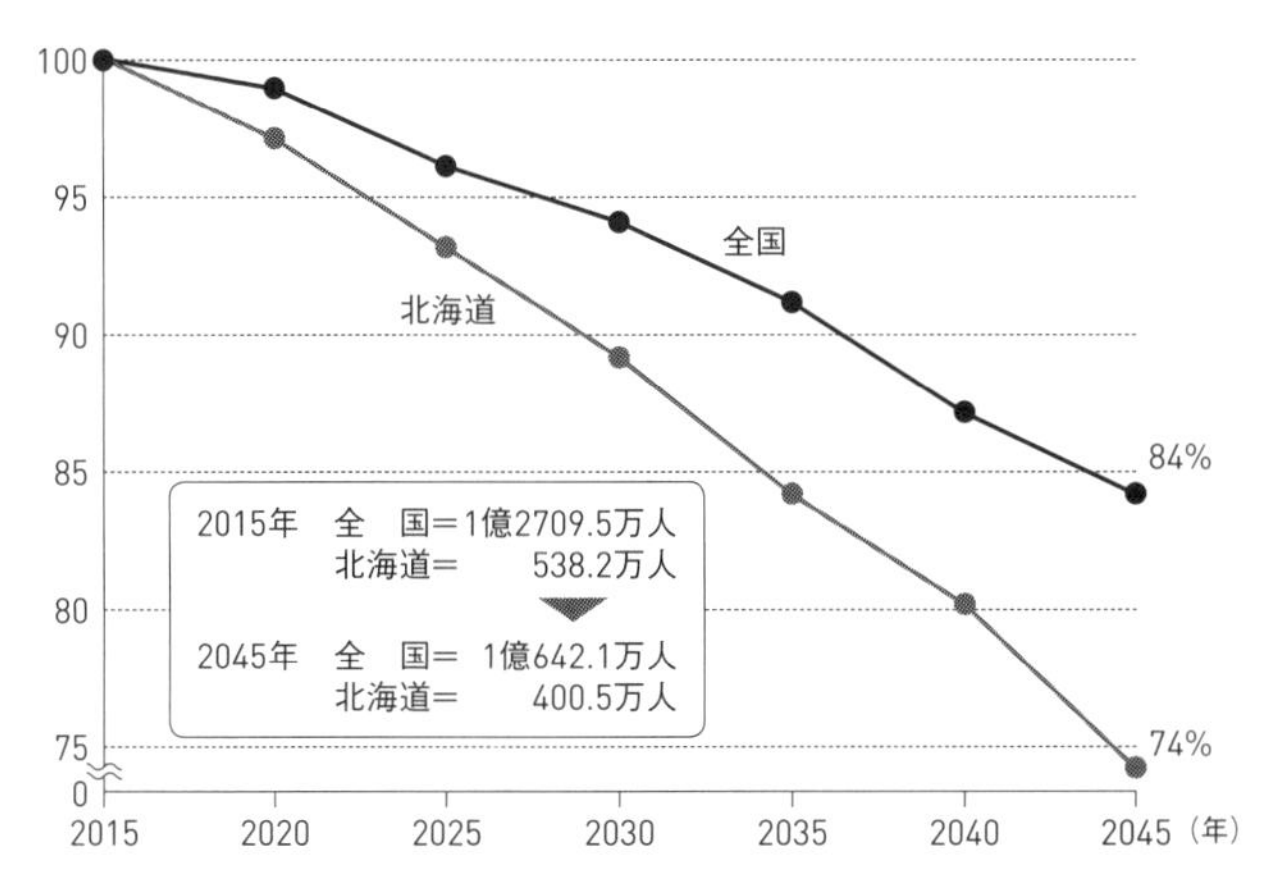

〈出典〉国立社会保障·人口問題研究所「日本の将来推計人口」および「日本の地域別将来推計人口」より作成

人口流出が止まらない北海道

人口が流出している自治体の例として北海道を詳しく見てみよう（北海道以外でもよいのだが、仕事のご縁で北海道の人口動態を分析する機会があったので、その時の資料をもとに説明する）。

他の多くの地方自治体と同様、北海道も東京圏への転出を中心に、人口流出が止まらない。総務省が２０１８年７月に発表した「住民基本台帳に基づく人口、人口動態及び世帯数（２０１８年１月１日現在）」によると、北海道は直近１年間の人数ベースで最も人口が減少した都道府県である（前年比の減少率が最も高かったのは秋田県）。２０１５年との対比で見ると、30年後の２０４５年までに、全国の人口は15%減少する見込みだが、北海道は26

図1-3：北海道の地域別転入出超過数の割合（外国人の転入出分は除く）

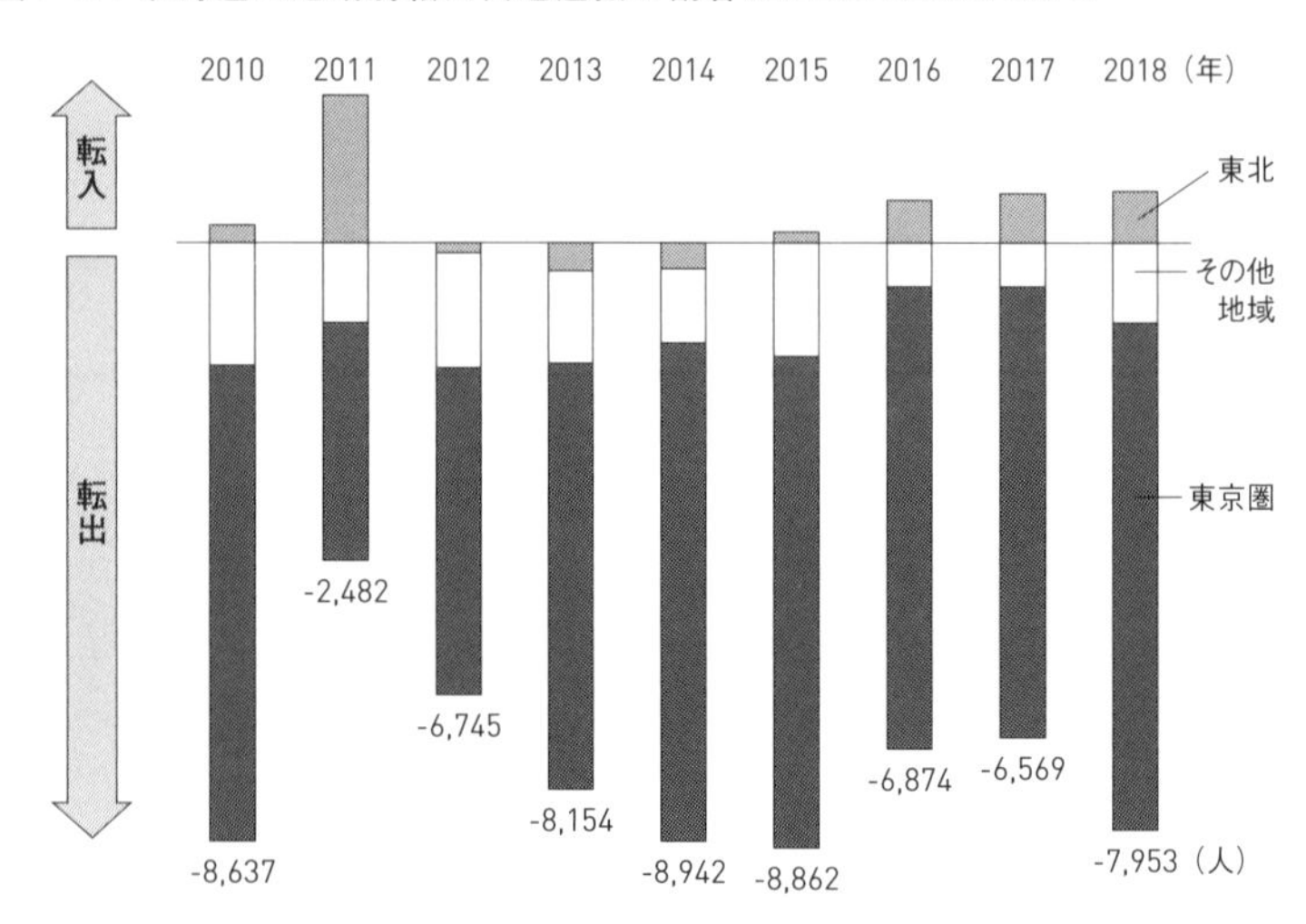

〈出典〉総務省「住民基本台帳人口移動報告」より作成

%の減少が予測されている。2015年時点の北海道の人口は538万2000人だったが、30年後には400万5000人に激減するのだ。

人口減少の主要因の一つ、社会動態について見ていこう（問題をシンプル化するため海外移動は除く）。北海道からはほとんどの地域に対して転出超過となっている。中でも東京圏への転出が突出して多い。住民基本台帳人口移動報告のデータによると、2018年には東京都に4218人、千葉県に1410人、神奈川県に1112人の転出超過で、この3都県が北海道にとって転出超過先のトップ3となっている。だが、問題は道外への転出だけではない。2018年の振興局（北海道の行政区画）間

図1-4：北海道の振興局別転入出超過数（2018年1-12月、外国人の転入出分は除く）

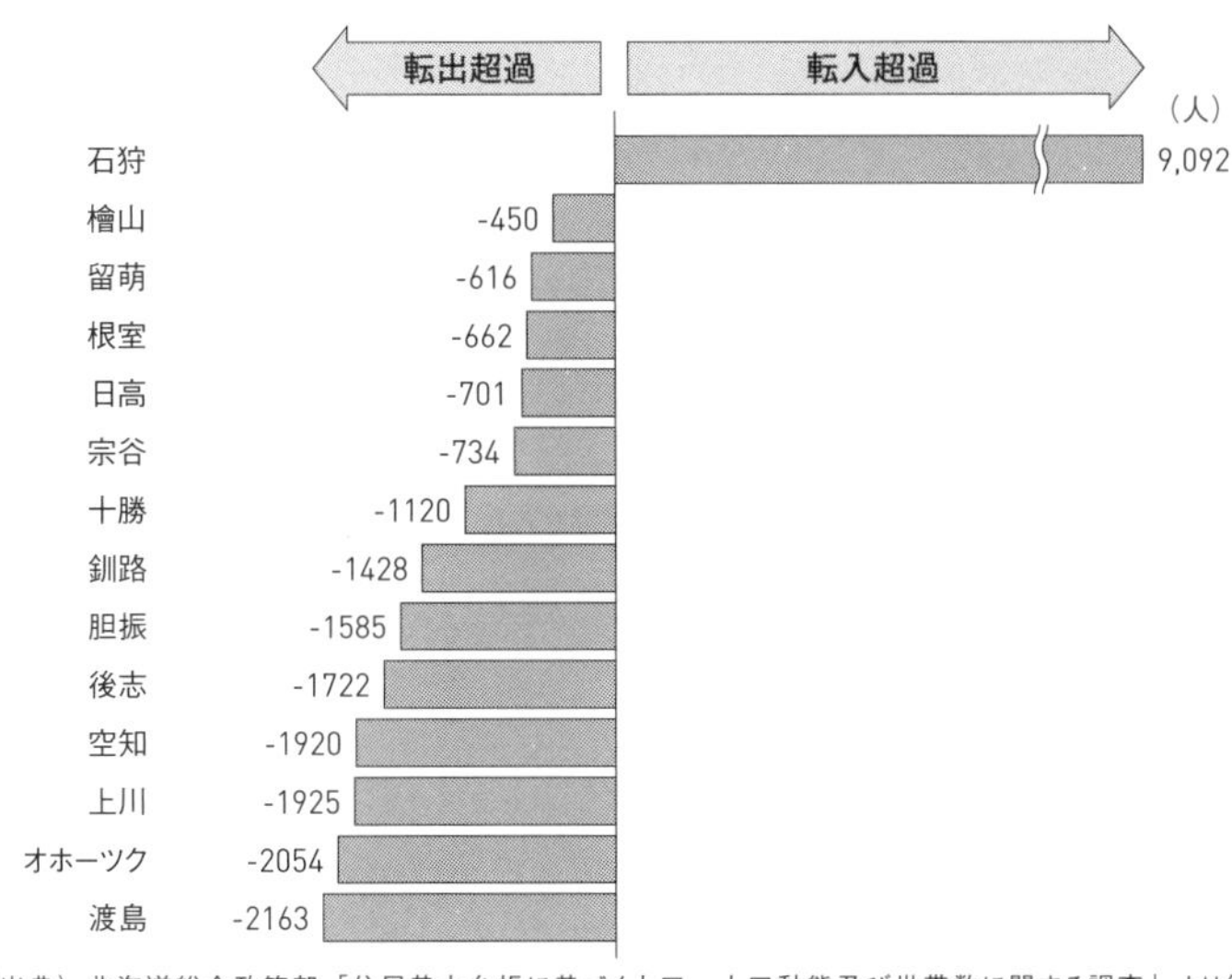

〈出典〉北海道総合政策部「住民基本台帳に基づく人口、人口動態及び世帯数に関する調査」より作成

の転入出状況によると、札幌市を含む石狩振興局管内のみが転入超過となっており、それ以外の13の管内で転出超過となっている。つまり、同じ北海道の中でも、大都市部である札幌圏への人口集中が進んでいる状況がはっきりと見てとれる。

さらに、北海道は合計特殊出生率も全国で下から2番目の1・27であり、このことも転出過多とダブルパンチとなって道内人口の減少につながっている。

首都圏への一極集中

一方、多くの自治体で北海道同様の人口減少が起きる中、大都市、特に東京は転入超過が続いている。社会動態だけで人口が増えている6都県の2018年の転入超過

図1-5：東京圏（東京都、神奈川県、埼玉県、千葉県）への転入超過数（外国人の転入出分は除く）

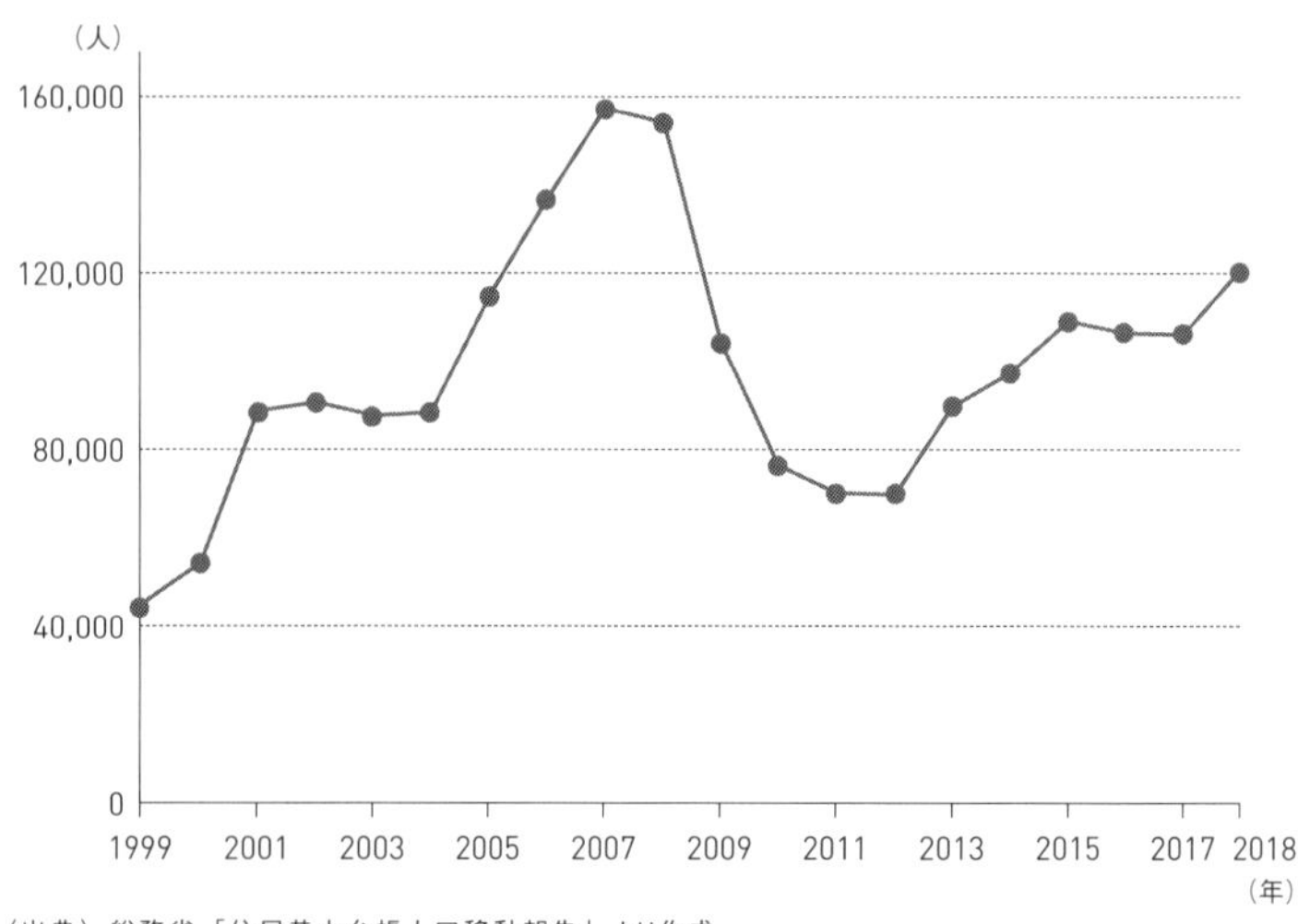

〈出典〉総務省「住民基本台帳人口移動報告」より作成

数は、東京都（7万9844人）、神奈川県（2万3483人）、埼玉県（2万4652人）、千葉県（1万1889人）、福岡県（2889人）、大阪府（2388人）。特に東京圏といわれる、東京都、神奈川県、埼玉県、千葉県についてここ20年の転入状況を見ると、リーマンショックのあった2008年から東日本大震災が起きた2011年まで落ち込みがあったものの、毎年5万人から15万人ぐらいの転入超過となっている。

　ここまで述べてきたことを整理すると、日本全体では人口は減少しているものの、東京を中心とする都市部の人口はむしろ増えており、そのぶん地方では急激な人口減少に歯止めがかからないというわけだ。

　その結果、日本の地方にどんな問題が顕

在化してきているのか。代表的なものを見ていこう。

2 地方部が抱える課題

深刻化する空き家問題

最初に取り上げたいのは、最近紙面などでも目にすることが多くなった空き家問題だ。出張先や旅先などで、雑草に埋もれ、窓ガラスにひびが入り、住んでいる気配がない古家を目にする機会が多くなったように感じる。

空き家に関するデータとしては、総務省が出している住宅・土地統計調査が参考になる。住宅数や居住状況、世帯の保有する土地の実態などを調べたものだ。平成30年版の調査結果を見ると、日本の住宅総数は6240万7000戸となっているが、その約13・6％に該当する846万1000戸が空き家となっている。都道府県別に件数を見ると、東京都（80万9200戸）、大阪府（70万9300戸）、神奈川県（48万3000戸）。割合で見ると山梨県（21・3％）、和歌山県（20・3％）、長野県（19・5％）、徳島県（19・4％）、高知県（18・9％）がトップ5で、地方部で空き家の割合が多いことがわかる。

図1-6：空き家数・空き家率の推移（全国）

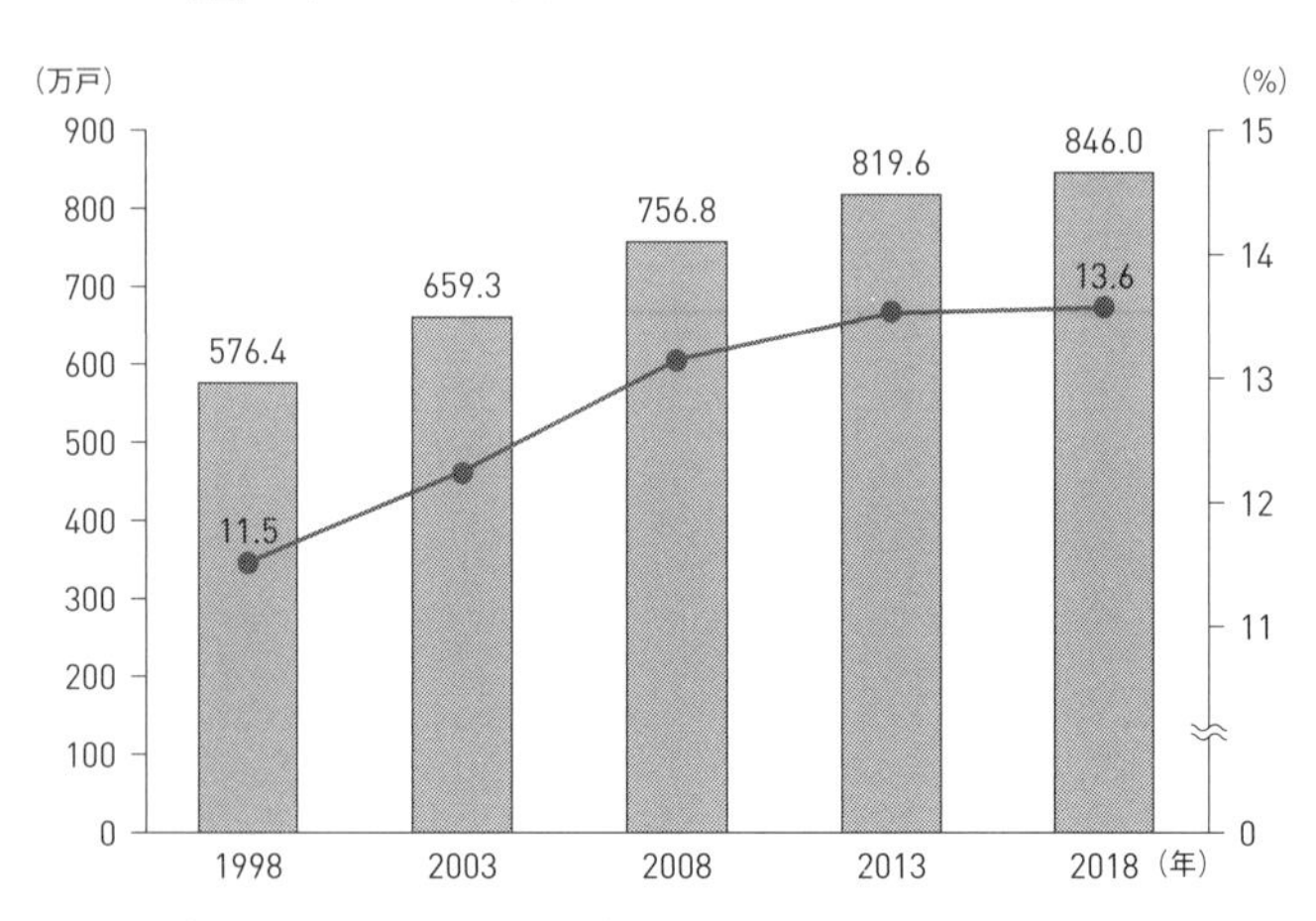

〈出典〉総務省「平成30年住宅・土地統計調査」より作成

都市部と地方部、また同じ地方部でもエリアごとに空き家事情は異なる。元々別荘など2次的住宅が多い、持ち家より賃貸物件が多いエリアで空き家が増加するケースもあれば、新築至上主義によって空き家はあるのに新しい家が建つエリアもある。空き家を助長するような税制上の問題も指摘されている。しかし、特に地方部における空き家増加要因として、少子高齢化や過疎化などの人口動態があることは間違いない。

放置された空き家への対策として、国は2015年に空き家対策特別措置法を施行している。この法律によって、一定の条件を満たせば、自治体などが空き家を強制的に取り壊せる代執行をしやすくなったが、実際に代執行するケースはかなり少ない。

国土交通省の調査によると、2018年度末までに助言・指導、勧告に至った計1万6508件のうち、代執行（行政代執行と略式代執行）に踏み切ったのはわずか1％（165件）。費用回収の難しさから、二の足を踏む自治体が多いという。

都市が消滅する

次に取り上げるのは、「消滅可能性都市」問題だ。人口規模が一定を下回った場合、都市自体が存続できなくなる恐れがあると指摘されている。消滅可能性都市という言葉は、2014年に当時の総務相であった増田寛也氏を座長とした日本創生会議にて打ち出され、2040年に向けて人口減少によって消滅する可能性がある自治体として、896の市区町村が挙げられた。彼らのつくったレポートは、座長の増田氏の名前をとって「増田レポート」と呼ばれている。

増田レポートでは、2010年から2040年の間に20～39歳の女性の数が5割以下に低下する自治体を消滅可能性都市の基準としている。全国の市区町村数は1741なので、実に約半数に消滅の可能性がある。中でも、2040年までに人口1万人を切る523の自治体については、特に消滅の危険性が高いとされ、日本中に衝撃が走った。

私も、人口減少の問題についてなんとなくは意識していたものの、こんなにも真正面か

図1-7：20〜39歳の女性人口の変化率（2010〜2040年）

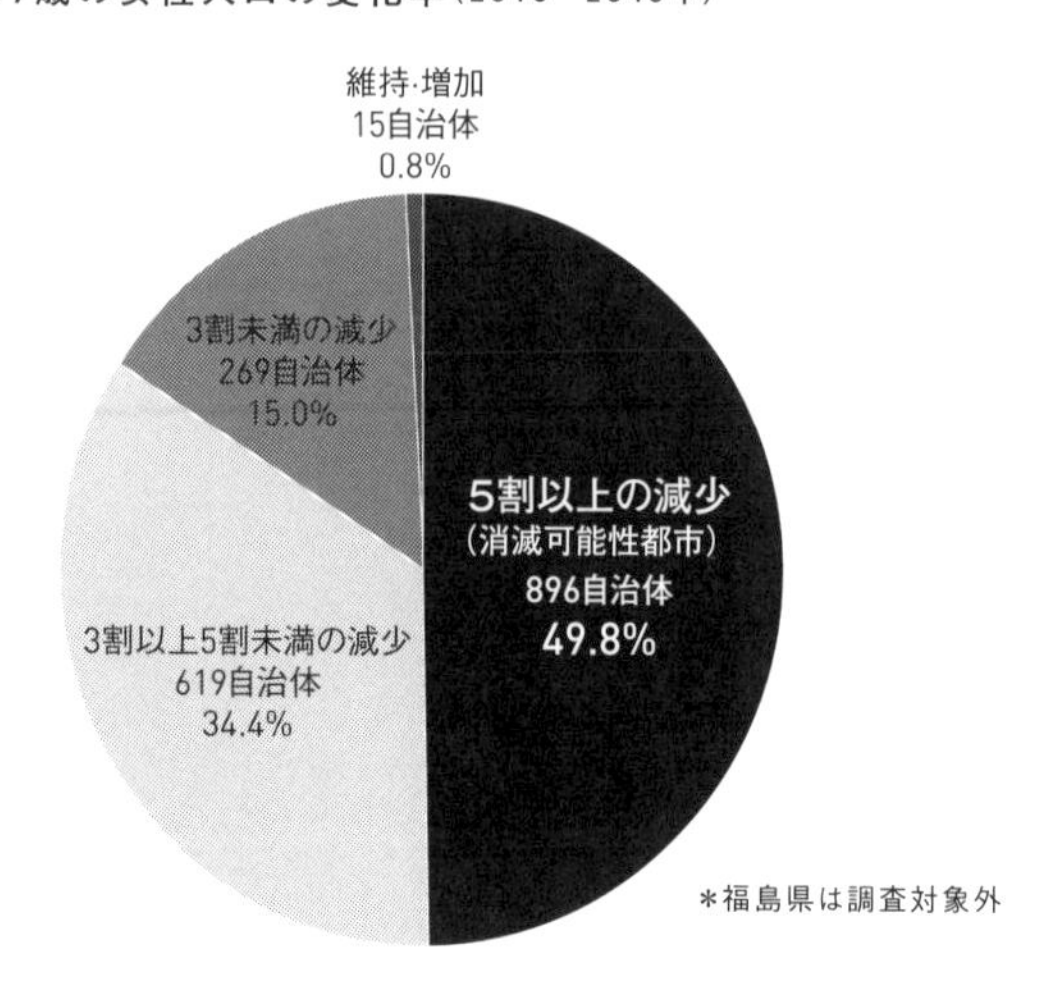

〈出典〉国立社会保障・人口問題研究所「日本の地域別将来推計人口推計」より日本創成会議・人口減少問題分科会推計

ら切り込んだレポートを突然目の前に突きつけられ、当時、大きなショックを受けた記憶がある。

都道府県別に状況を見ると、消滅可能性都市の比率が最も高い秋田県の場合、大潟村を除いた県内すべての自治体が消滅可能性都市とされた。これに、青森県、島根県、岩手県と続く。東京都や神奈川県ですら、消滅可能性都市の比率は20％に近い。最も消滅可能性都市の割合が低い愛知県でも県内の10％の都市が消滅の危機にある。

人口減少によって財政破綻した自治体では、北海道の夕張市の事例が有名だ。人口が減り続けた結果、税収が減り、自治体としての機能を維持できなくなった。353億円の財政赤字を抱え、2007年に財政再建団体に指定された夕張市は、実質的に国の管理下に置かれた。その後、2010年に財政再生団体という名称に変わったが、その実態は変わらない。年間10億円に満たない税収（ただし、歳入は地方交付税交付金や国庫支出金、新たな地方債発行によって穴埋めすることで、総額100億円規模）で、借金とその利息を返し続けるという厳しい財政状況のもとで、市民サービスの低下は避けられない。さらに、若者離れも進み、残った市民にはより高い税負担が求められるという悪循環だ。2016年に出された夕張市の再生方策に関する検討委員会報告書を見ると、財政破綻する前の2006年と10年後の2016年の比較で、夕張市がどのように変わったかがわかる。一例を挙げよう。

・2006年度に263人いた市の職員数は、2015年度では100人に減少
・市の職員の基本給与30％カット（その後、20％、15％カットに変更）
・市長の給与70％カット
・議員報酬40％カット
・公園や公衆施設、体育館、教育施設など多くの公共施設の廃止、休止
・人口は、2006年度の1万3268人から、2015年度では9409人に減少

維持できなくなる都市機能

夕張市は現在も厳しい再建の途上にあるが、人口の減少は行政機能だけでなく一般的に都市に必要とされる様々な機能も不全にしていく。図表1-8は、「都市の人口規模と保持できる都市機能の関係」を表したもの。例えば、人口2万人以上の都市なら、ペットショップや総合スーパー、外食チェーン、カラオケ、外国語教室、病院、介護医療施設など、身の回りにあって便利だと思う機能は一通り維持できる。

ところが、人口が減り、5000人規模になると、例えば公園、保育所、病院、訪問介護事業、銀行、学習塾、音楽教室といった施設の維持が難しくなってくる。

都市機能を維持するには、最低でも2万人ほどの規模が必要と考えられる。しかし現在、日本の全市区町村の48％が人口2万人以下だ。それらの市町村は、都市機能を十分に保持できなくなる恐れがあるというのが、今の日本の実態である。

ハードインフラの限界

人口減少局面において、大きな影響を受けるのは、店舗やサービスなどの生活インフラだけではない。電気・通信・ガス・水道・交通・公共施設といったハードインフラへの影

図1-8：都市の人口規模別に見た機能保持確率（3大都市圏は除く）

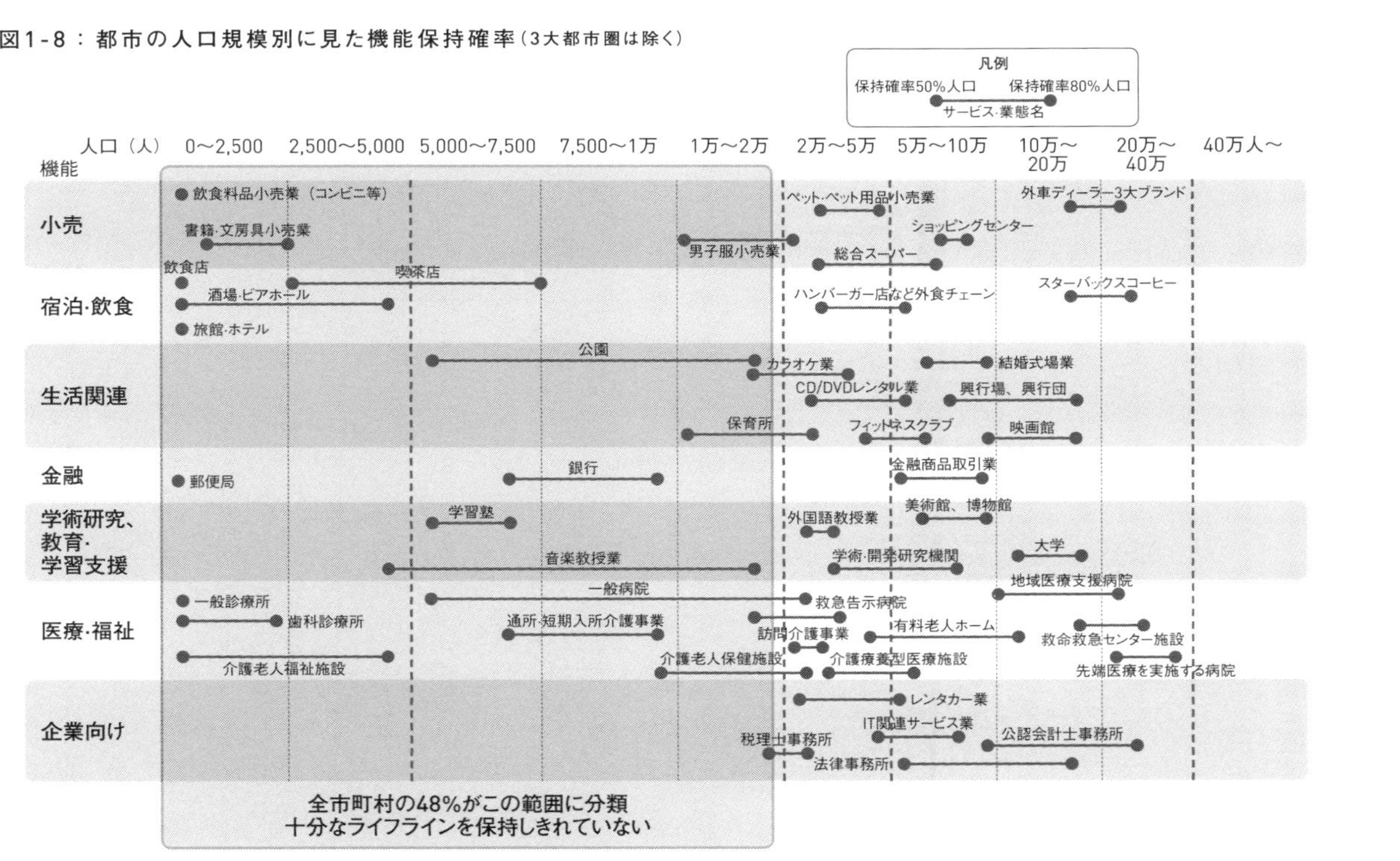

〈出典〉各種資料をもとに国土交通省国土政策局が作成した資料をもとにアクセンチュア作成

図1-9：公共事業関係費の推移

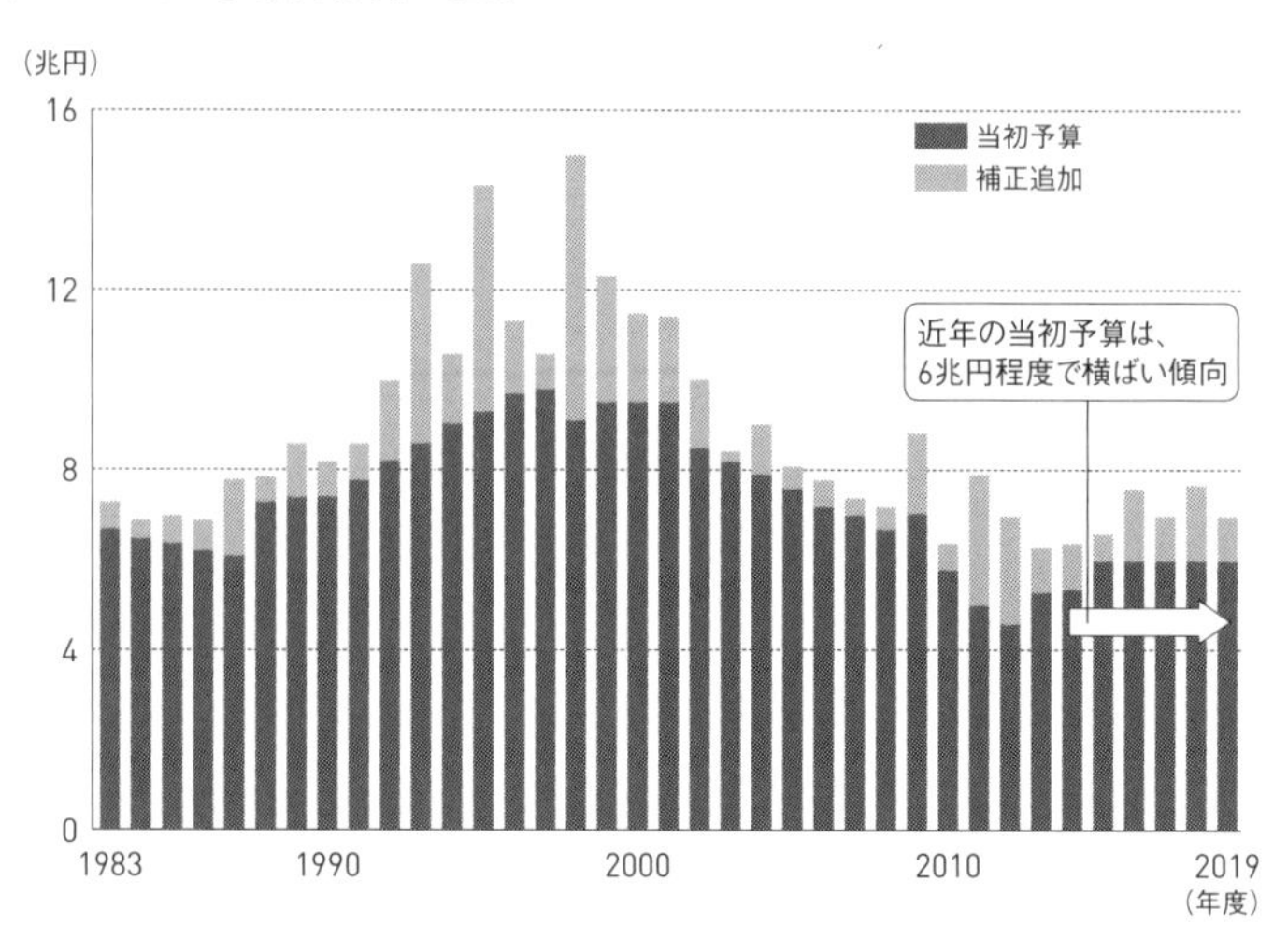

〈出典〉国土交通省「公共事業関係予算のポイント（平成31年度）」より作成

響も必至だ。

高度経済成長期に構築・整備されたインフラは、①人口減少による維持財源（有料サービスは売上、公共サービスについては予算）の不足、②維持するための労働力不足、③更新タイミングの波、の3重苦に襲われる。

①人口減少による維持財源の不足

例えば、国の公共事業費は2014年度以降、当初予算ベースで横ばいに推移しており、社会保障費の増大など財政難が続く状況で、将来、人口減少による税収減になれば、予算の維持さえ難しくなる。

②維持するための労働力不足

人口不足は、少子高齢化の影響と合わせ

図1-10：給水人口別の水道事業数と職員数(2018年)

給水人口	水道事業数	平均水道職員数*
都および指定都市	20	687
30万人以上	49	153
15万-30万人未満	77	68
10万-15万人未満	89	32
5万-10万人未満	205	20
3万-5万人未満	199	12
1.5万-3万人未満	**266**	**8**
1.5万人未満	**364**	**4**

*職員数は、人口規模の範囲にある事業体の平均

- 給水人口が少ない地域（＝地方）には水道事業数が多いが、水道職員数は少ない
- 職員10人以下の事業は720
- 給水人口1.5万人未満の小規模事業は、平均4人の職員で水道事業を運営している

〈出典〉総務省「地方公営企業決算状況調査」(平成30年度) をもとにアクセンチュア作成

図1-11：水道事業に携わる職員数の推移

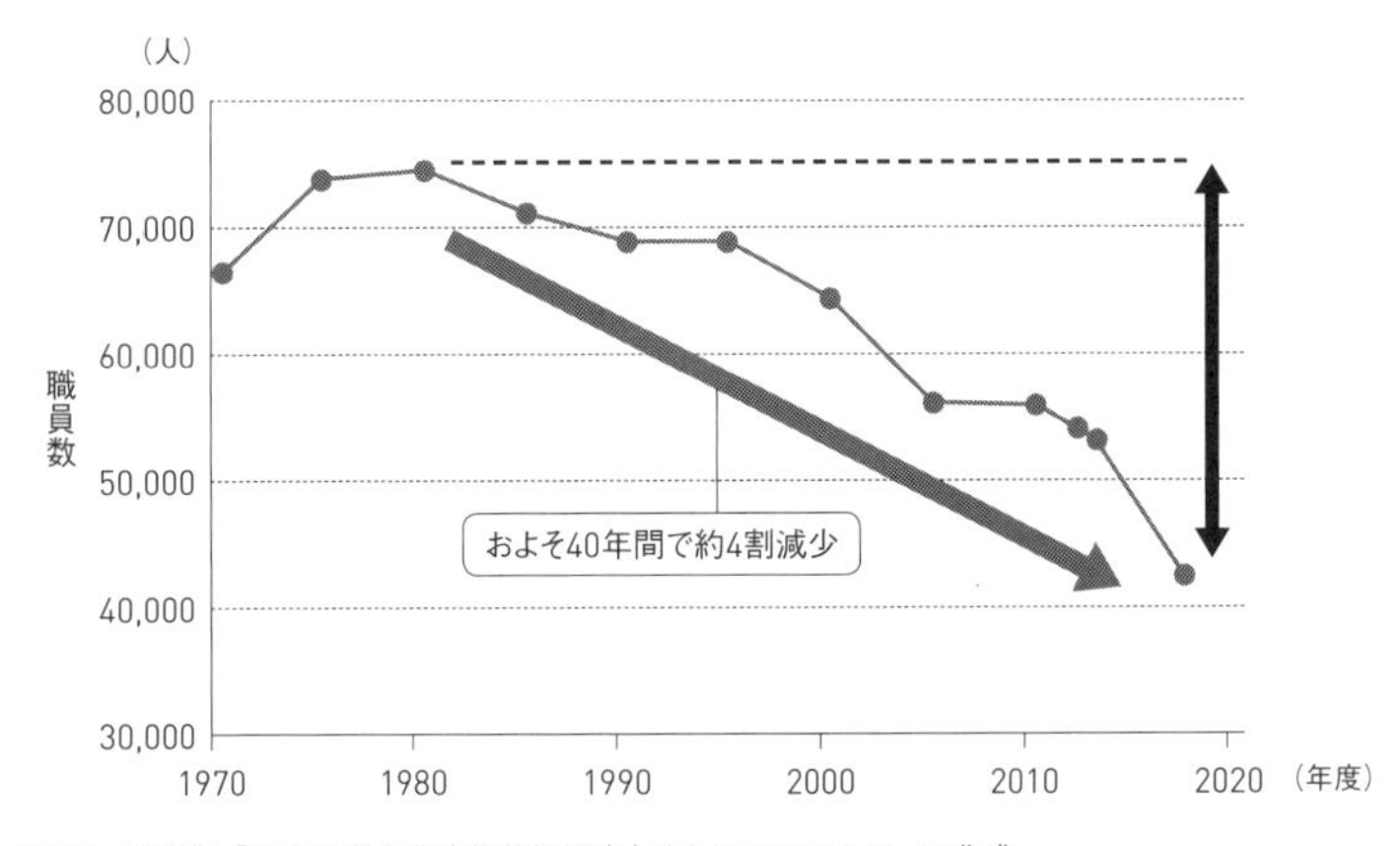

〈出典〉総務省「地方公営企業決算状況調査」をもとにアクセンチュア作成

図1-12：社会資本の維持管理・更新費の推計

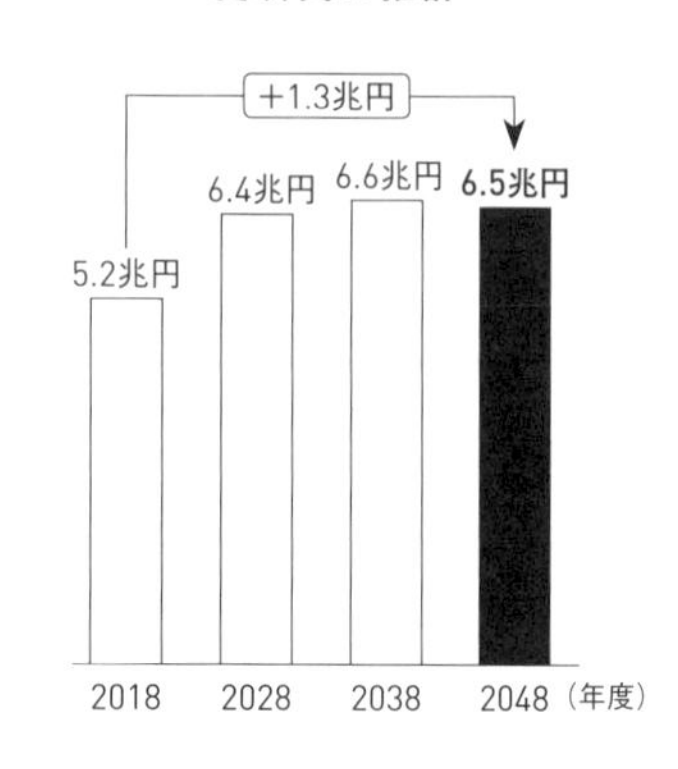

＜出典＞国土交通省「国土交通省所管分野における社会資本の将来の維持管理・更新費の推計（2018年）」よりアクセンチュア作成

図1-13：建設後50年以上経過する社会資本の割合

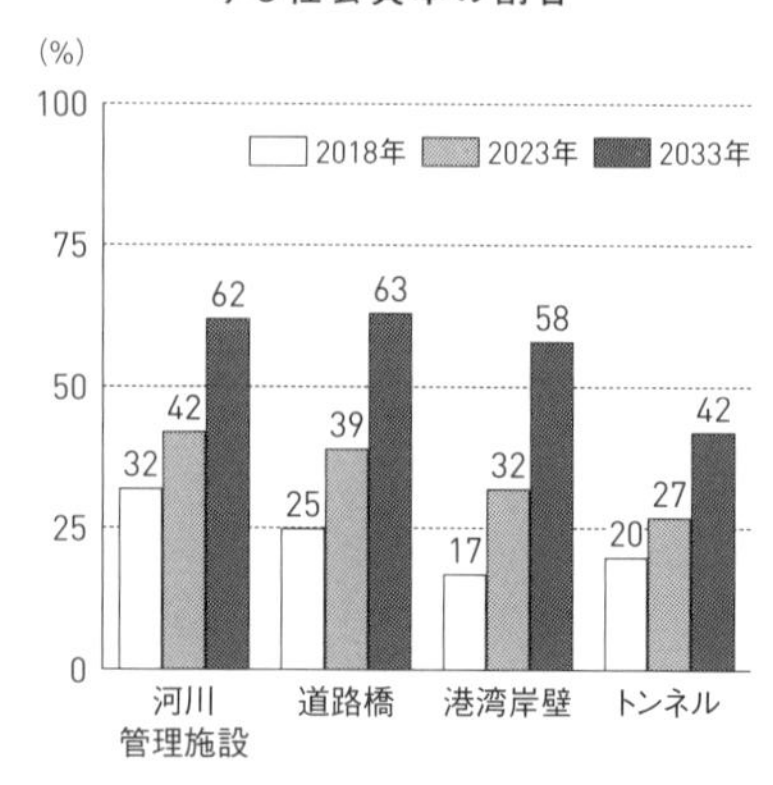

＜出典＞国土交通省「第20回メンテナンス戦略小委員会配布資料（2018年3月）」よりアクセンチュア作成

ると労働者数そのものの減少を引き起こす。人口減少が著しい地域においては、自治体・事業者ともにインフラの維持に必要な人材不足がすでに大きな課題となっている。

③更新タイミングの波

①と②の状況に加えて、２０２８年には社会インフラの維持管理・更新に最大で６・４兆円が必要と試算されている。また、２０２３年には30%超の道路橋や河川管理施設、港湾岸壁が、２０３３年にはこれらの55%以上が建設後50年以上となる。

これらの社会インフラのうち、水道や道路、公共施設など地方公共団体が運用しているものは、運営単位が細分化されているうえ、安定が求められる公共サービスの性質上、業務の合理化が進まない。コスト増の利用者への費用転嫁も難しく、事業運営がすでにきしみ始めている。

また、民間企業が運用している電気・通信・ガスなどにおいては、全国どこでもほぼ同様のサービスを提供することが前提となっている。だが、いずれかのタイミングで地域の状況に応じたサービスレベル、管理手法の導入が進むと考えられる。

医療——脳卒中発症時の生死ラインはどう変わるか？

読者の中には、脳卒中を起こした知り合いがいるという人も少なくないだろう。脳卒中には、脳の血管がつまる脳梗塞や、脳の血管が破れて出血する脳出血、くも膜下出血などの種類がある。厚生労働省人口動態統計によると、日本ではがん、心臓病に続いて死亡理由の第3位となっている。脳卒中を発症したときに重要なのは、1秒でも早く、病院で治療を受けること。しかし残念ながら、人口規模によってこうした初動対応にも差が生じてしまう。厚生労働省のレポート「二次医療圏の設定について（2016年6月）」をベースに見てみよう（一次医療圏は日常生活に密着した医療、二次医療圏は入院治療まで対応した医療を提供する区域）。

脳卒中などを発症した場合、30分以内に中核病院に搬送可能かどうかを人口の規模別にグラフにしたものが図1-16である。二次医療圏を人口別に見たときに、30分以内に搬送

図1-16：脳卒中時の緊急搬送と人口規模の関係

――住民の80%以上が最寄りの急性期中核病院まで30分で搬送可能な二次医療圏の割合（脳卒中の場合）

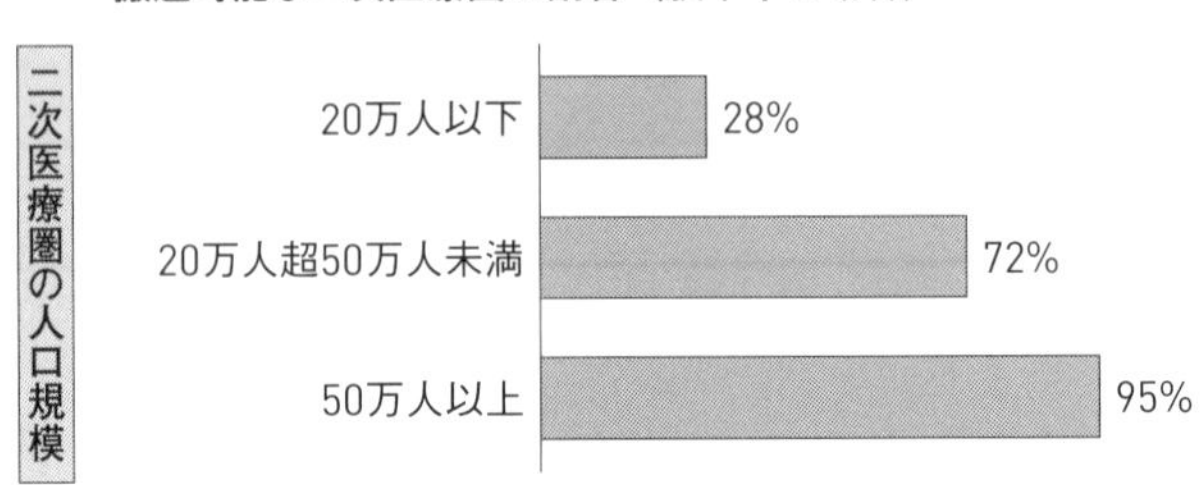

＊DPC対応病院の平成25年のデータをもとに計算

〈出典〉厚生労働省「第2回医療計画の見直し等に関する検討会 二次医療圏の設定について（平成28年6月）」より作成

可能な人口カバー率が80%を超える二次医療圏が人口50万人以上の都市では95%、20万人超50万人未満では72%だが、20万人以下の都市になると28%と著しく低下する。したがって、20万人超の規模がなければ、30分以内の患者搬送が十分に期待できないと言える。当然、10万人以下、5万人以下と人口規模が下がるにつれて、対応がさらに悪化していくのは容易に想像できる。

交通機関――移動の足をどう確保するか？

公共交通機関についても見てみよう。

都心で暮らす人の多くにとって、移動時の足としてパッと思いつくのは鉄道だ。以前、アクセンチュアのあるプロジェクトで、鉄道事業の採算を検討するための輸送密度について試算したことがある。その結果に基づいて、JR5社（東日本、西日本、北海道、四国、九州）で各区間

図1-17：人口密度と路線バスの収益性(走行キロ当たり収支)の関係

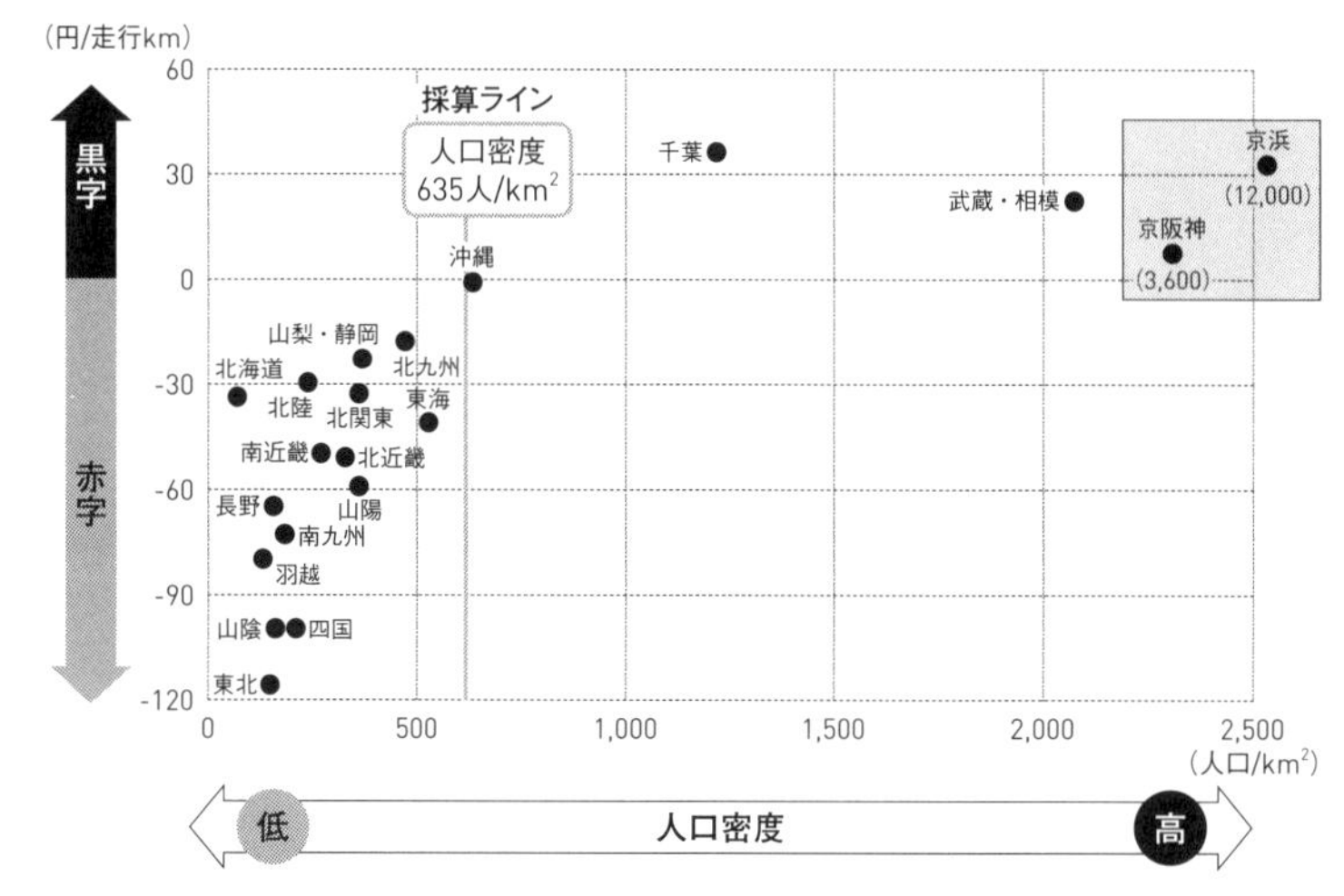

〈出典〉日本バス協会「日本のバス事業（2018年度版）」と総務省統計局「平成27年度国勢調査」より
アクセンチュア作成

の収益性を試算したところ、実に7割が赤字路線という結果が出た。特に、郊外や地方部でこの割合が高く、限界自治体予備軍にいたっては、そのすべて、すなわち100%が不採算路線と計算された。「予備軍」という言葉を外して、限界自治体となると、そもそもJR5社には該当する路線が存在しない。

こうした地方部においては、鉄道に代わる代表的な移動手段として、路線バスやコミュニティバス、乗り合いタクシーと呼ばれるものがある（路線バスは事業運営の主体がバス会社や地方公営企業、コミュニティバスは市区町村が運営）。鉄道と同じように、バスの収益性も人口密度との関連性が非常に高い。そして、残念ながら日本バス協会が出している『日本のバス事業 2018年度版』を見ると、路線バスの収益確保はすでにかなり厳しい状況にあることがわかる。首都圏、京阪神圏は採算が合うが、沖縄が黒字ラインぎりぎり、それ以外の地方都市や県の路線バスは、利益を出すことが構造的に難しい。

したがって、路線バスがなかなかビジネスとして成立しない地域や市町村では、コミュニティバスや乗り合いタクシーの導入を進めている。農林水産省が作成した買い物難民の観点から地域交通の状況を分析したレポート（平成29年度「食料品アクセス問題」に関する全国市町村アンケート調査）によると、7割から8割ぐらいの自治体が「コミュニティバス」や「乗り合いタクシー」の運行を支援し、どうにかして地域の交通を維持しようとしている。

コミュニティバスは、採算性の低い路線や地域を対象としているため、当然ではあるが、補助金頼みになりがちだ。東京都府中市が公表している東京多摩23市のコミュニティバス運行状況の資料を見ても、同23市のうち21市が赤字で、補助金などで補填しながら運営している。地方自治体の苦しい財政状況を鑑みると、恒久的に維持し続けられる仕組みとは言いがたい。

それでは、人口減少に伴い、鉄道やバスなどの路線が廃止されてしまった地方都市で、移動の足はいったいどうなるのか。

住民たちは、最終的には自力で移動手段を確保するしかなくなる。その結果、日常の買

図1-18：人口密度と自動車の利用割合の関係

（平日、2015年調査。3大都市圏の都市は1999年と比較）

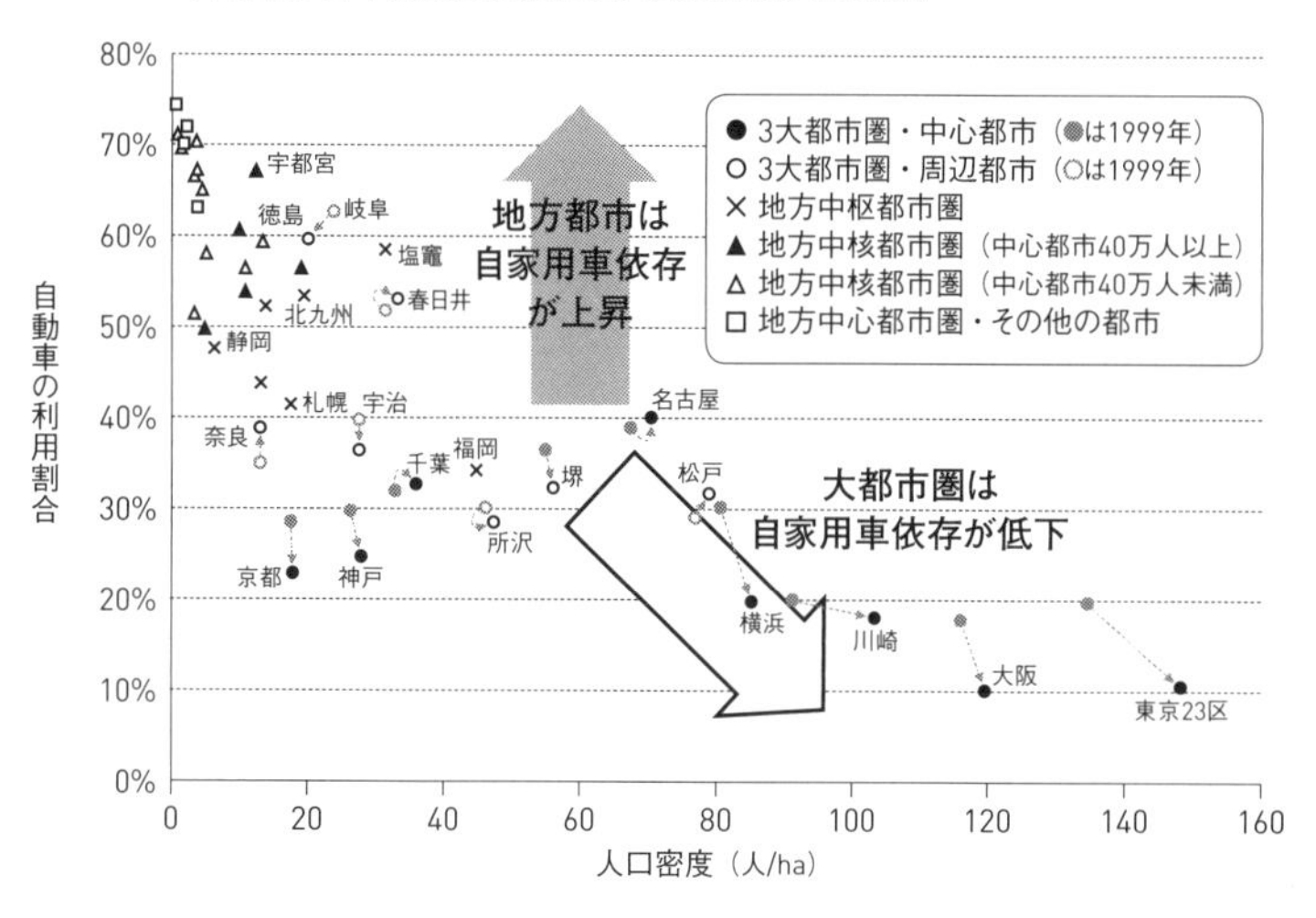

〈出典〉国土交通省「都市における人の動き」（1999年、2015年）より作成

い物や病院への行き帰りなどの手段として、自家用車への依存が高まっていく。図1-18は、国土交通省が発表している「都市における人の動き」をもとに作成したものだ。人口密度と自動車の利用割合（交通手段において自動車がどれくらいの割合で使われているか）との間にはっきりと相関関係が見てとれる。人口密度の高い東京23区や大阪市、横浜市などの大都市圏では自家用車依存が低下する一方、多くの地方都市においては、自動車への依存度が高まる傾向にある。このように、大都市と地方部では、自動車依存の傾向が二極化している。

高齢になっても、生活のために自動車を運転し続ける人が増えれば、当然、交通事故などのリスクが高まる。警察庁が発表している年齢層別人口10万人当たりの交通事故死亡者数によると、高齢者の交通事故による死亡率が、他の年齢層に比べて群を抜いて高くなっている（2017年では、65歳以上が全体の54・7％）。ドライバーとしても、歩行者としても注意力が低下してくる高齢者は、交通事故によって死亡するリスクが大変高い。こうして、地方部においては移動困難者、交通事故死亡者数、移動手段のための財政負担の3つがスパイラル式に増加する「負のサイクル」が加速している。地方部において、自ら運転しなくても生活に支障をきたさず暮らせる地域インフラの再構築が早急に求められている。

防災

台風や暴風雨、地震やそれに伴う津波など、残念なことに毎年当たり前のように大きな災害が発生し、多くの尊い命が奪われ、懸命に築き上げてきた家屋や資産が一瞬にして破壊されるなど大きな被害が発生している。こうした災害発生時においても、都市部と地方部で直面する課題に差がある。

都市部では、家屋が密集しているエリアでの延焼リスクや、公共交通機関の運行見合わせによる帰宅難民の発生、また住民が密集している地域では避難所不足も問題になる。一方、地方部では、過疎地や高齢者のみの世帯などで情報弱者となる可能性が高いことから、結果的に災害弱者となってしまうパターンがある。テレビや電話、ネットが通じないエリアがあったり、居住地が点在しているため近くに助け合ったり情報を共有し合える住人がいないケースだ。また、医師不足による医療サービスの不足や、消防団員不足で1人当たりの担当範囲が広大化することも、地方での問題として多く挙げられる。

災害時には、地域住民が自主的に連帯して防災活動を行う自主防災組織の存在や、被災地以外からのボランティアによる支援なども重要だ。しかし、『令和元年版防災白書』によると、人口減少により過疎化が進んだことで、自主防災組織や消防団が減少傾向にあることが記されている。また、ボランティア支援はその多くが仕事や学業の合間で行われていることが多いため、交通網が貧弱なエリアや都市部から隔離されたエリアでは、特に平日に人手が不足すると考えられる。

中小企業の存続問題

地方都市の抱える課題として、中小企業の問題についても触れておきたい。中小企業庁によると、日本の全企業数のうち99・7%は中小企業・小規模事業者である。とりわけ地方部においては、地域の伝統や特性に根差したサービスを提供し、地域経済の活性化や雇用を支えているのが中小企業だ。また、日本の雇用の7割ほどが、中小企業によってまかなわれているという。

そうした重要な役割を担っている中小企業の多くが今、後継者不在問題で危機に立たされている。

帝国データバンクの「後継者不在企業」動向調査（2019年）によると、国内企業の実に65・2％が後継者不在に悩まされている。会社の規模にかかわらず、事業がうまくいかずに利益を出せなければ当然倒産のリスクは常にある。しかし、業績が黒字なのに、後継者が見つからないという理由で廃業を選択せざるを得ない中小企業が増えている。実際、東京商工リサーチの2019年「休廃業・解散企業」動向調査によると、休廃業・解散企業の61・4％が直前期決算で当期純利益が黒字状態だった。経済産業省の試算（2017年）によれば、事業承継問題をこのまま放置すると2025年頃までに約650万人の雇用と約22兆円分のGDPが失われる可能性があるとしている。

中小企業の後継者問題は、必ずしも地方特有の問題ではない。実際、前述の帝国データバンクの調査をもとに後継者不足問題を抱える企業を都道府県別に見てみると、東京都や神奈川県、千葉県などの都市部においても後継者不在率は全国平均を上回る。しかし、地方部の深刻さは都市部とは比べものにならないほど大きい。なぜなら、失われた雇用を代替する雇用の創出が都市部以上に難しく、また、大都市以上に経済の中枢を担っている中小企業の相次ぐ倒産が、その地域の経済活動そのものを大きく損ねかねないためである。

国や地方自治体、地域の金融機関などが相次いで対策を講じてはいるものの、中小企業の事業承継問題は現在のところ深刻さを増すばかりだ。

経済界の方々と中小企業の問題を論じると必ず出てくるのが、コンソリデーションをすればよい、という意見である。コンソリデーションとは、大企業あるいはそれに準じる中規模企業が、関連する中小企業を統廃合することを指す。吸収後に徹底的に効率化すれば問題は解決する、という主張だ。しかし、ことはそう単純ではない。中小企業、特に地方の中小企業の良いところは、エリアごと、企業ごとに実に多様な特色を持ち、地域に根差した独特のサービスを提供したり、ビジネスを超えた地元社会との結びつきを実現している点にある。独自性がなくなり、どこに行っても金太郎あめのようなサービスしか提供されなくなることは、果たして日本のあるべき将来の姿だろうか。

想像してみていただきたい。日本のどこに行っても、町全体をコピー・アンド・ペーストしたように、同じようなチェーン店が並ぶ町や村。地域の伝統や文化を感じることができない画一的な街並み。コンビニエンスストアやチェーン店の地方展開自体を否定するつもりはないが、第7章で詳しく述べる通り、目指すべきは地域の特徴を活かした生き残り戦略である。コスト削減につながるような共同プラットフォームを持つ構想などは積極的に進めればよいが、安易なコンソリデーション論はかえって危険だ。

地方部における財政状況と市民の負担

地方部の財政状況はどうなっているのか。2020年1月時点で財政再生団体は夕張市のみで、財政健全化団体も該当なしとなっている。しかし、自治体の経常収支比率を見ると、安寧としていてはいられない状況が浮かびあがる。

自治体の財政健全度を測る指標はいくつかあるが、その一つが経常収支比率だ。これは財政の弾力性を示す指標で、総務省による定義では「地方税、普通交付税のように使途が特定されておらず、毎年度経常的に収入される一般財源（経常一般財源）のうち、人件費、扶助費、公債費のように毎年度経常的に支出される経費（経常的経費）に充当されたものが占める割合」とされている。低ければ低いほど財政運営に弾力性があり、使えるお金がたくさんあることを示している。

経常収支比率は70〜80%が適正値で、100%を超えると危機的な状況と言われている。総務省の「平成30年度地方公共団体の主要財政指標一覧」によると、夕張市の124%を筆頭に、50の市町村が100%を超えている。経常収支比率90%以上で調べると、100%を超える市町村も含めて1003市町村と、実に全1741市町村のうち6割近くが適正値を下回っていることがわかる。

これから先、住民税を納める現役世代が減少する一方で、高齢化による社会保障費の増加などで、自治体の財政はますます厳しくなる可能性が高い。そんな中、現時点ですでに市町村の財政状況がこれだけ悪化しているのは、深刻な状況と言える。自治体の財政状況が厳しくなっていけば、結局、市民の負担額、つまり税金や公共サービスの料金を上げざるをえなくなる。実際、夕張市でも破綻後に市民税、軽自動車税、下水道使用料などが引き上げられた。市民にとって、今頑張れば将来の展望が開ける、という希望があればまだよいが、そうした展望もないままに税負担だけが大きくなるのは、やりきれないだろう。

ここまで、少子高齢化による人口減少によって地方が直面する課題について述べてきた。次章では、東京都をはじめとした人口が集中している大都市圏の状況について見ていきたい。

そこにも、必ずしもバラ色の世界が広がっているわけではない。

第2章

首都圏が抱える一極集中の弊害

東京の未来は意外に「安泰」ではない

決して高くはない東京のＧＤＰ伸長率

全国からの人口流入が多い東京都。

県内実質総生産の成長率で見た場合、東京都は全国と比較しても決して高くはない。２０１９年11月に内閣府が出した「県民経済計算」によると、人口増加率ランキング１位の東京都の実質ＧＤＰ成長率（対前年度）は、２０１４年度は36位、２０１５年度は17位、２０１６年度は25位と意外に高くない。２０１４年度と２０１６年度は全国平均以下の成長率だ。

同じく「県民経済計算」より作成した、２００６年を基準とした東京都と全国の１人当たり県民所得推移を比較すると、２０１６年まで一貫して東京都のほうが低い水準である。全国平均ではリーマンショック前の水準まで回復しつつあるにもかかわらず、東京は９割程度の水準にとどまっている。

住みやすいとは言いがたい都心部

それでは、都心部の住みやすさはどうだろうか。市民生活に関連するいくつかの指標から東京の住みやすさを考察してみよう。

図2-1：1人当たり県民所得の推移(2006年度を100とする)

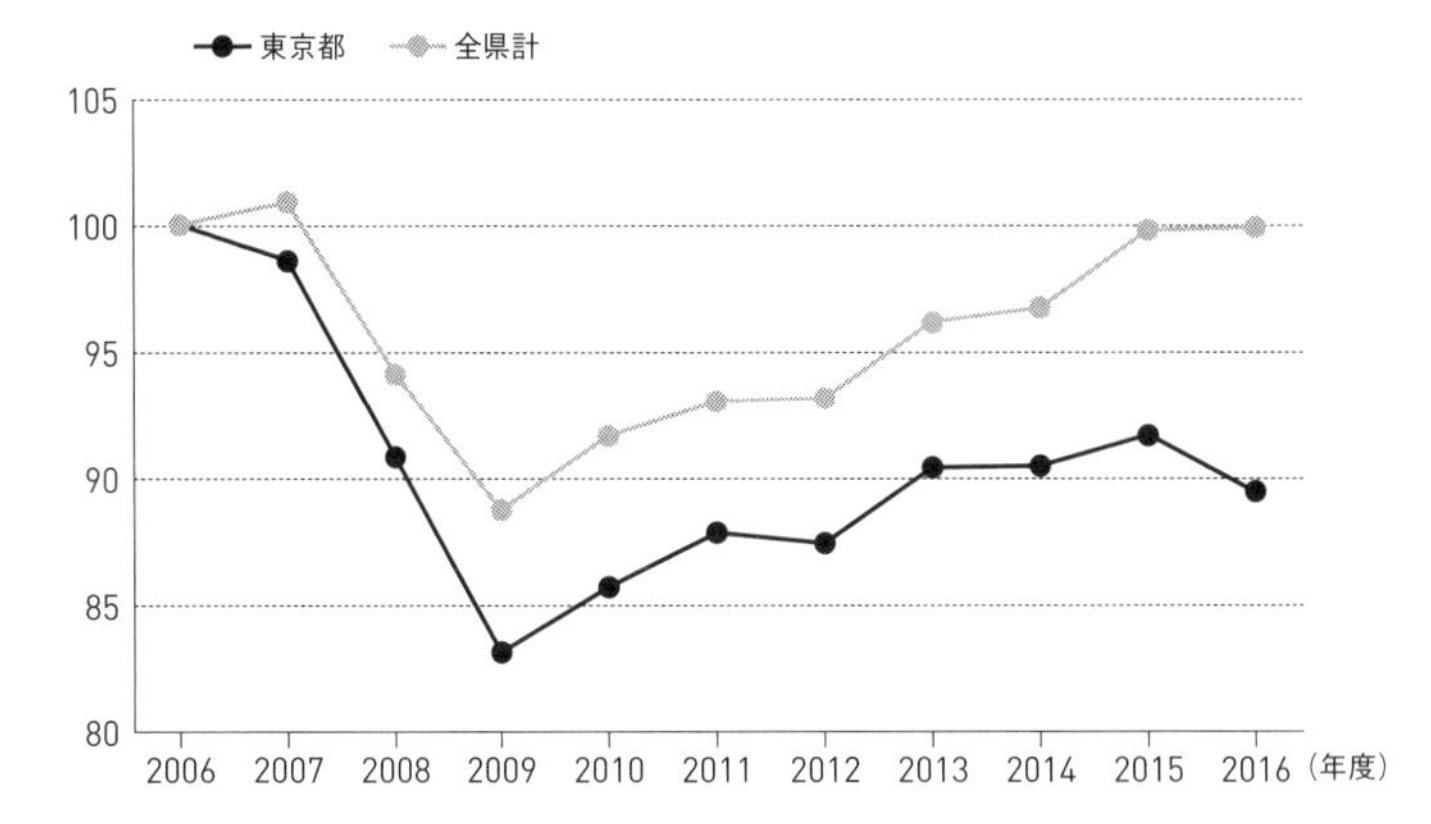

〈出典〉内閣府「県民経済計算」より作成

総人口増加率ランキング

2014年		2015年		2016年	
1位	**東京都**	**1位**	**東京都**	**1位**	**東京都**
2位	沖縄県	2位	沖縄県	2位	沖縄県
3位	埼玉県	3位	埼玉県	3位	愛知県

県内総生産(GDP)成長率ランキング

2014年		2015年		2016年	
1位	広島県	1位	長崎県	1位	熊本県
2位	宮城県	2位	福井県	2位	和歌山県
3位	京都府	3位	京都府	3位	滋賀県
⋮		⋮		⋮	
36位	東京都	17位	東京都	25位	東京都

〈出典〉内閣府「県民経済計算」より作成

図2-2：市民生活指標に見る住みやすさの地域差

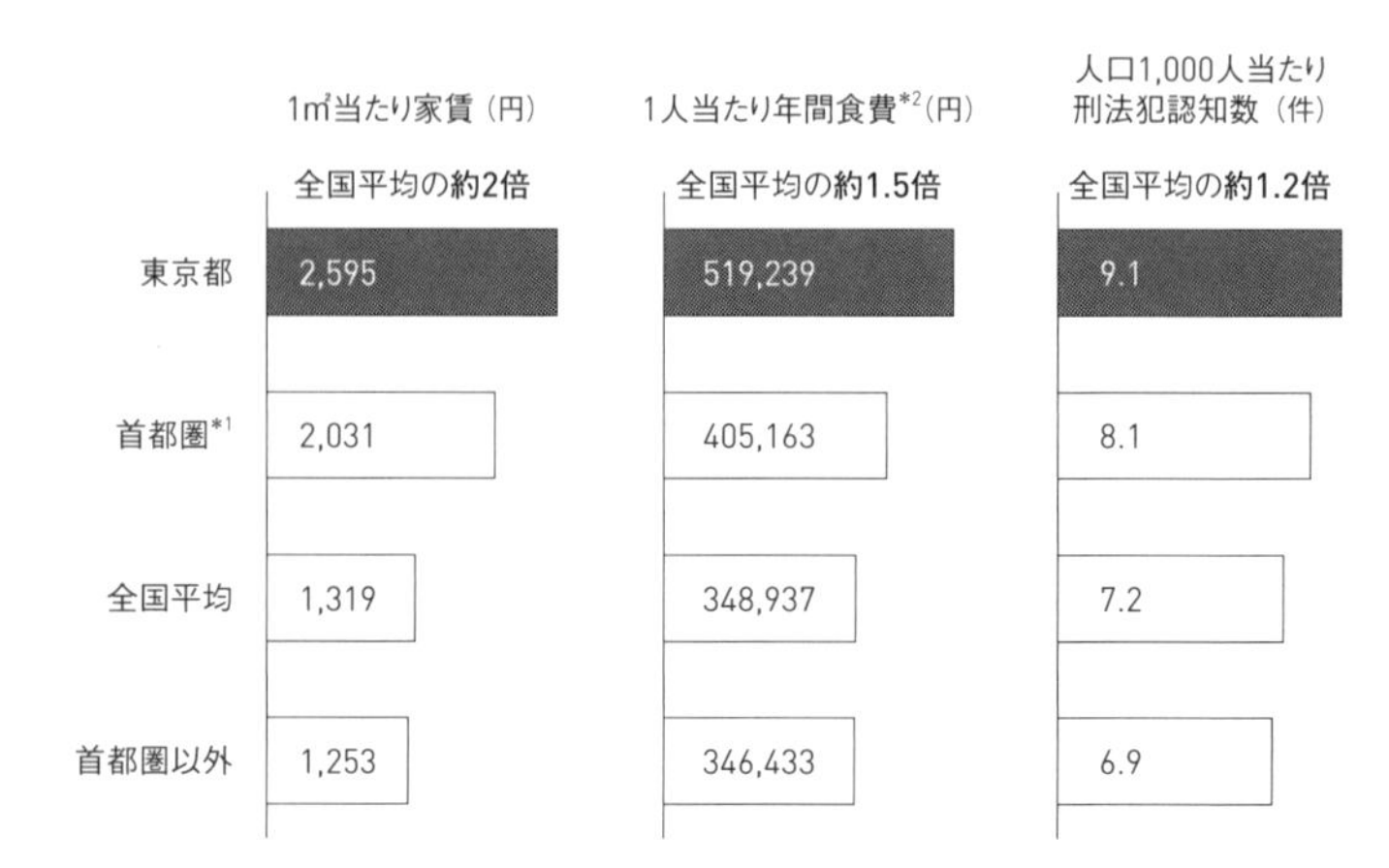

*1：首都圏は東京都、千葉県、埼玉県、神奈川県を指す
*2：首都圏と首都圏以外は都道府県庁所在地での食費を集計

〈出典〉総務省「社会生活統計指標-都道府県の指標-2019」「家計調査（2018年）」「日本の統計（2018年）」、東京都「生計分析調査報告（2018年）」、警察庁「平成30年警察白書」より作成

まず、1㎡当たりの家賃。東京の家賃は2595円と、全国平均の1319円の約2倍。東京を含む首都圏全体でも2031円と、かなり高い水準だ。こうしたこともあってか、2018年に総務省が行った「住宅・土地統計調査」によると、一住宅当たりの延べ床面積は東京都が最も狭い65・18㎡となっている。最も広かった富山県の143・57㎡と比べると半分以下だ。東京のような大都市圏で暮らす多くの若い人にとって、広い住宅を構えて悠々と暮らすのはかなわぬ夢となっている。

1人当たりの年間の食費についても見てみよう。東京都では平均約52万円を食費にかけており、全国平均の約35万円の1・5倍だ。

次に、安全・快適な市民生活という面で、刑法犯件数はどうだろうか。人口1000人当たりの刑法犯認知数は、全国平均5・9件に対し、東京は9・1件と、こちらも約1・5倍。人口当たり犯罪発生率ランキングを見ると、上位に来るのは東京都以外だと大阪府、愛知県、福岡県など大都市ばかりだ。

次に、首都圏のサラリーマンを悩ませている、朝晩の通勤ラッシュの実態を見てみよう。2018年に、満員電車による経済損失が年間3000億円以上にのぼるという試算結果（「初試算！ 満員電車の経済損失は年間3240億円」東洋経済オンライン2018年10月18日、https://toyokeizai.net/articles/-/243263）が世間を驚愕させたのを記憶されている方もいるかもしれない。首都圏のサラリーマンにとって、満員電車との付き合いは避けては通れないものだ。

国土交通省が2016年に発表した全国の鉄道混雑率データを読み解くと、混雑度ワースト5の路線は、東西線・木場～門前仲町間の199%、JR総武線各駅停車の錦糸町～両国間の198%、小田急小田原線の世田谷代田～下北沢間の192%、JR横須賀線の武蔵小杉～西大井間の191%、JR南武線の武蔵中原～武蔵小杉間の188%、日暮里・舎人ライナーの赤土小学校前～西日暮里間の188%（同率5位）。その数字の高さから、首都圏の深刻な満員電車の実態がわかる。

アクセンチュアにも、大都市を中心に1万4000人以上の社員（2020年2月末時点）

図2-3：首都圏一極集中の弊害

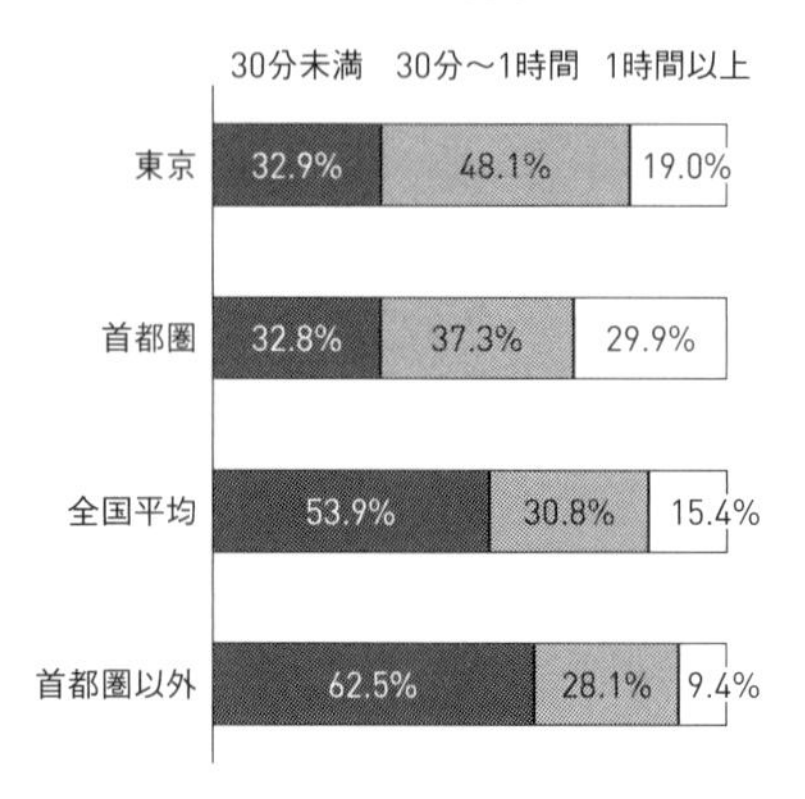

〈出典〉総務省「平成30年住宅・土地統計調査」より作成

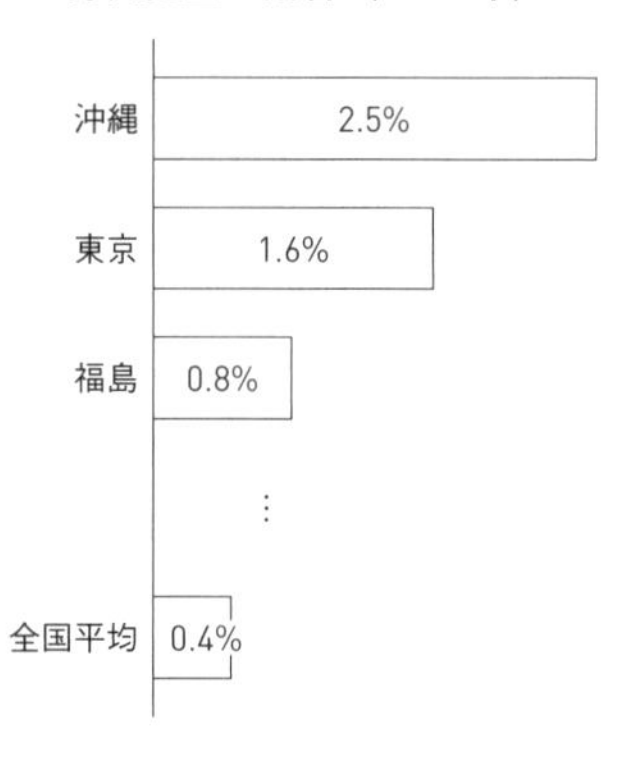

〈出典〉厚生労働省「保育所等関連状況取りまとめ」、総務省「人口推計」より作成

が在籍しており、通勤時の苦悩について話を聞くことがある。フレックスタイムや在宅勤務などの制度も、積極的に活用されてはいるが、当然ラッシュ時に通勤しないといけないケースは多々あり、妊娠中の通勤や（通常でも混んでいるのにそれに輪をかけて混雑する）災害時などの通勤は過酷だ。いかに社員の負荷を軽減させられるかは、頭の痛い問題である。

通勤に要する時間の面ではどうだろうか。総務省「平成30年住宅・土地統計調査」によると、東京を含む首都圏では、1時間以上かけて通勤している人が全体の約30％を占めている。30分から1時間までの人を合わせると、実に約70％の人が長時間、多くの人は満員電車に耐えながら通勤していることになる。首都圏以外では、通勤に1時間以上要している人はわずか10％弱。30分以上かけている人を含めても38％にすぎず、はっきりとした差が見られる。

また、働く女性、特に若い子育て世代にとって重要となる待機児童の状況はどうか。厚生労働省が2017年に出した「保育所関連状況取りまとめ」と総務省「人口推計」をもとに全児童における待機児童の割合を計算した。全国平均の0・4％に比べて東京都は1・6％と、沖縄県に次いで2位。全国平均の0・4％から見ると、はるかに高い数字となっている。

このように市民生活の視点で見ていくと、年々人が集まっている東京などの大都市では、必ずしも快適な生活環境が保障されているわけではなく、むしろ住みづらさを示唆する数値が散見されることがわかる。

高齢化が進む首都圏

さらに、東京都などの大都市部では急速な高齢化も問題視されている。実は、国立社会保障・人口問題研究所の日本の地域別将来推計人口（2018年推計）によると、2015年から2045年にかけての75歳以上の人口増減率を見ると、2位は埼玉県、3位は神奈川県、4位は千葉県、5位は愛知県、6位が東京都と、3大都市圏でこれから急速に高齢化が進むことがわかる（1位は沖縄県）。高齢化そのものは、健康に長生きできる社会の証でもあり、決して恥ずべきことではない。しかし、これだけ急速に高齢化が進展すると、社会の仕組みがそれに追いついていけなくなる。例えば、高齢者の多いエリアに欠かせない医療や介護サービスを供給する仕組みや人材育成が追いつかなくなる可能性があるだろう。

また、最近ニュースなどで見聞きすることが多くなったのが、「都市内の限界集落」の問題だ。高度経済成長期に建設された東京郊外の団地は、住宅の老朽化や間取り・設備の陳腐化などが原因で、若年入居者の減少・高齢者の残存が進み、結果としてゴーストタウン化しつつある。一般的に限界集落の定義は、高齢化率（65歳以上の人口が総人口に占める割合）50％以上が基準とされている。1970年代に建設された多摩ニュータウンや高島平団地などの現在の高齢化率は、限界集落の定義である50％は下回るものの、一部街区においてはすでに40％に達している（「多摩ニュータウン地域再生ガイドライン（2018年）」「板橋区介護保険事業計画2020（2018年）」より）。東京都全体の高齢化率は23・3％（平成30年「敬老の日にちなんだ東京都の高齢者人口（推計）」より）なので、それに比べても非常に高い数字だ。

東京都都市整備局がまとめた「多摩ニュータウン地域再生ガイドライン（2018年）」

では、老朽化した団地、バリアフリー化の遅れ、団地や団地内にある坂道や階段が妨げになって部屋から出られない高齢者の増加、近隣センターにおける空き店舗の増加など、このエリアの抱える問題が浮き彫りにされている。

例えば、多摩ニュータウンへの入居は、今から約半世紀前に始まった。当時は、子育て世代にとって憧れの地であり、70年代、80年代と人気の高かった場所だ。当時の記憶が残る方にとっては、その衰退ぶりを見るのは心苦しいことだろう。

ところで、現在の多摩ニュータウンの高齢化率40%という数字は、２０６５年の日本の高齢化率でもある。その意味でも、多摩ニュータウンの現在の状況は、将来の日本社会の縮図とも言えるかもしれない。

繰り返しになるが、地方は人口減少などで大変な状況を抱えている一方で、都市部も悠々自適とは程遠い、厳しい現実に直面しているのである。

第3章

AI時代の雇用と地方格差

給料が上がる仕事、
下がる仕事、消える仕事

さて、ここまで、地方部が抱える課題、首都圏が抱える課題について具体的な数値をベースに見てきた。ここでもう一つ、若干視点は異なるが、日本社会の将来を見据えた場合に考えておかねばならない課題に触れておきたい。それは、AI時代の雇用の変化だ。雇用が変化すること自体は、必ずしも「課題」ではないが、これにうまく対応できなければ大きな問題になる。AI時代の人材のリスキリング（再教育）は、地方創生とも密接に関わっている。

デジタル化、特にAIの進化による人から機械への業務の代替が進むことで、雇用は今後、大きく様変わりすると予測される。特に、定型的業務は大幅に減少し、労働人口の減少を補って余りある供給過多を生み出す。一方で、AIやデジタルを利用した創造力を必要とする非定型業務のニーズは増加し、人材供給不足が起こる。

この雇用の二極化は賃金・雇用の二極化を引き起こし、その結果、所得の二極化がさらに進むと予想される。一方で、産業の視点に立てば、非定型業務を担える人材の不足が解消されない場合、成長が停滞し、日本経済の国際的な地位はさらに低下していくだろう。これを解消するには、AIやデジタル技術と協業していける次世代人材を育成し、既存の労働者のリスキリングを進めるとともに、海外からの人材導入も重要になる。

また、働く側の視点に立てば、今後、フリーランスなどリキッドワークフォース化（労働力の流動化）が一層進む中で、企業で働く人もこれまでの終身雇用・年功序列による雇用環境が続くことを前提としないで、自ら市場で必要とされるスキルを常に磨き続ける姿勢が必要だ。

職業分類と労働需給シミュレーション

今回、マサチューセッツ工科大学（ＭＩＴ）の経済学者デビッド・オーター教授らが提唱した職業分類モデルである「ＡＬＭ」の5分類を使って、デジタル化が進展した2030年における労働需給をシミュレーションした。

ＡＬＭ（オーター、レビン、マーナン、3人の研究者の名の頭文字からとった）とは、米国労働省が運営する約1000種類の職務についての求人情報データベースから各職業に対して求められるスキルを特定し、スキルとのマッチングにより、職業を定型的か非定型的か、知的作業か身体的作業かなどの観点から5つに分類したものだ。

①非定型分析業務――高度な専門知識を持ち、抽象的思考の下に課題を解決する業務。自然科学系研究者、化学技術者、システムコンサルタント、臨床検査技師など。

②非定型相互業務――高度な内容の対人コミュニケーションを通じて価値創造・提供す

る業務で、交渉・管理・助言などの行為が特に重視される。学校教員、看護師、営業職従事者、裁判官・検察官・弁護士など。
③非定型手仕事業務——それほど高度な専門知識を要しないが、定型的ではなく、状況に応じて個別に柔軟な対応が求められる身体的作業。医療・福祉施設職員、訪問介護従事者、理容・美容師、葬儀・火葬作業員など。
④定型認識業務——あらかじめ定められた基準の正確な達成が求められる事務的作業。総合事務員、受付・案内事務員、電話応対事務員、会計事務従事者など。
⑤定型手仕事業務——手作業あるいは機械を操縦しての規則的・反復的な生産作業。農耕従事者、自動車組み立て従事者、金属製品検査従事者、配達員、ビル清掃員など。

このALM職業区分に基づき、2030年までの労働力需給をシミュレーションしたところ、2030年には定型業務が780万人の供給過多となる。その一方で、非定型業務は470万人の供給不足になると見込まれる。また、非定型業務への供給不足が放置された場合、GDPが10%以上低下する恐れがある。

5つの職業区分の中でも、特にこれまでホワイトカラーの多くを占め、正確性が重要視され一定の賃金が保証されてきた「定型認識業務」の需要の減少が著しい。この傾向は、

図3-1：デジタル化による労働需給のミスマッチの推移

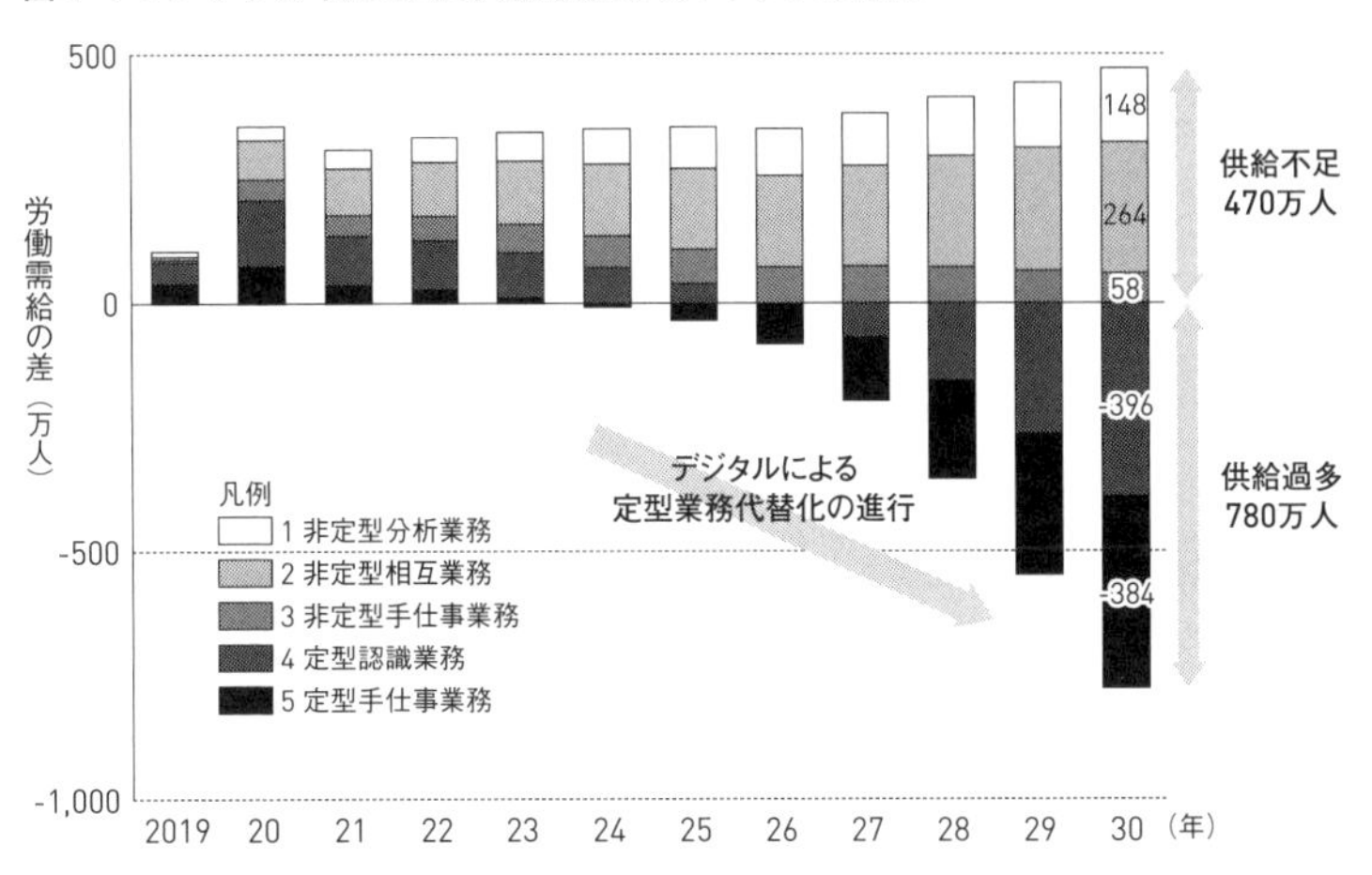

〈出典〉人口問題研究所「将来推計人口」「労働力人口の将来推計」、内閣府「産業別GDP」、総務省「産業連関表」「国勢調査」「労働力調査」「家計調査」「日本の経済状況と労働環境の行方」、労働政策研究·研修機構「賃金構造基本統計調査」「労働市場の二極化」をもとにアクセンチュア算出。産業別のGDP将来推計に対して必要な労働人口を算出し、そのうちデジタルで代替される割合を加味して需要人数を算出。供給人数は女性および高齢者の社会参加も加味

すでにＲＰＡ（ロボティック・プロセス・オートメーションと呼ばれる、コンピューター上で人による定型作業を自動化する技術）の導入により、金融業界を中心に大規模な人員削減が行われていることに表れている。

今回のシミュレーションでは、国勢調査における全２３２の職業分類をＡＬＭ職業区分に置き換え、デジタル化の進展を前提にした産業別の成長予測、ＡＬＭ職業区分別のデジタル代替率予測、人口推計および高齢者・女性の労働参画率向上推計（人口問題研究所の推計に従う）による就労人口予測を活用した。これらの各予測に対して、現状のＡＬＭ職業分布が労働者のスキル

図3-2：職業区分別の賃金将来推移

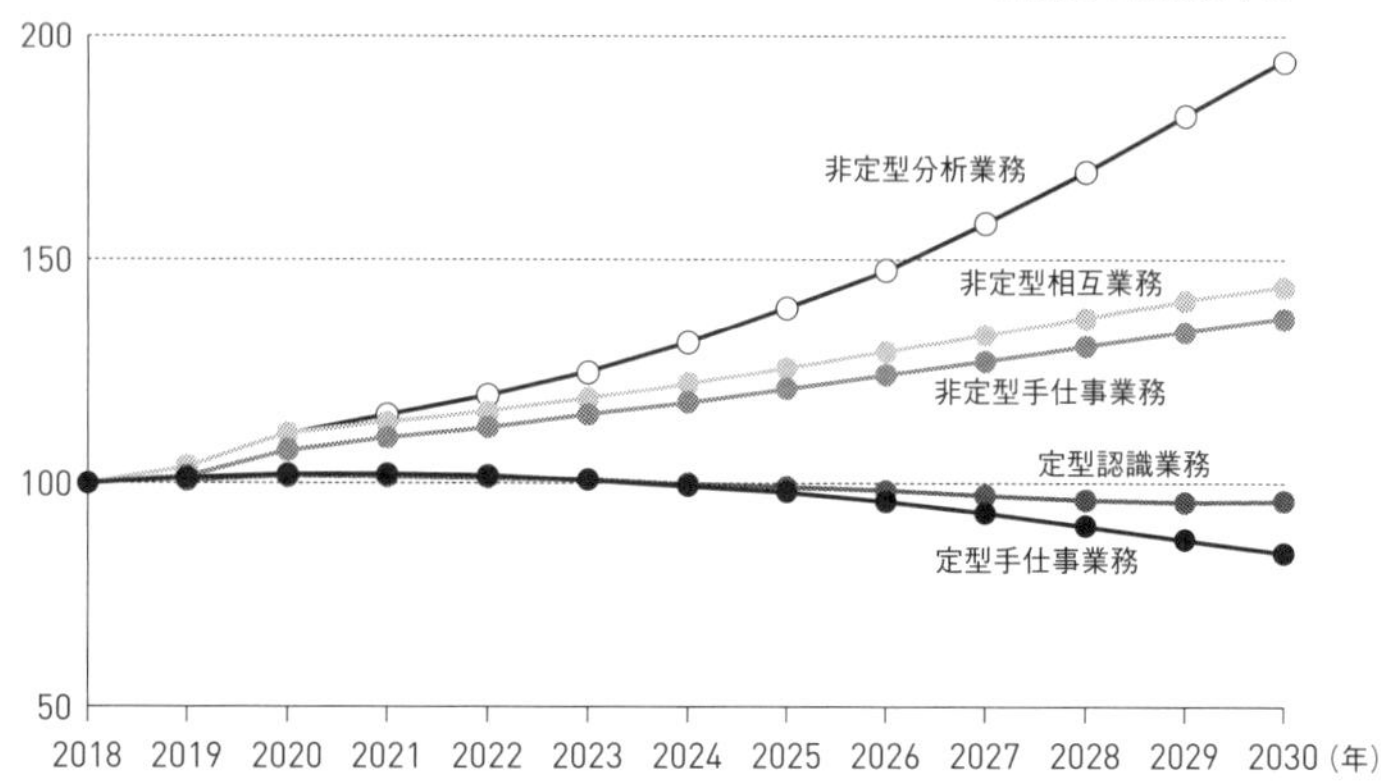

〈出典〉人口問題研究所「将来推計人口」「労働力人口の将来推計」、内閣府「産業別GDP」、総務省「産業連関表」「国勢調査」「労働力調査」「家計調査」「日本の経済状況と労働環境の行方」、労働政策研究・研修機構「賃金構造基本統計調査」「労働市場の二極化」、よりアクセンチュア算出。デジタルによる代替にさらされた就業者の賃金は最低賃金水準となり、それに伴い産業として浮く人件費が、代替されない人材へ再配分されると仮定を置いて算出。GDP増減による賃金変化も考慮

分布を表すと仮定している。つまり、今回のシミュレーションは現状のスキル分布を前提としており、人材需給のミスマッチ解消にはどれだけリスキリングを推進できるかが重要になる。

労働需給に基づく賃金の二極化

シミュレーションからは、非定型業務の供給不足と、定型業務の供給過剰が予測されるが、日本の社会保障政策を考えると、高い失業率を放置しておくとは思えない。その結果、雇用維持を優先し、足元では賃金格差の二極化が進むと考えられる。

アクセンチュアでは、5つの職業区分別に将来の賃金がどのように推移するかを予測した。デジタル技術による代替で労働供

給過多になる職業区分については、代替された業務が最低賃金化するものと想定し、労働供給不足になると思われる職業区分については、代替された人材の賃金が低下することで産業全体として浮く賃金の再分配が行われると想定し、試算した。その結果、「非定型分析業務」が現在の2倍近い賃金になる一方で、「定型業務」（特に「定型手仕事業務」）においては賃金が減少する。

デジタル時代における地方の新たな仕事と働き方

デジタルの進展で新たな雇用の二極化が進む一方で、特に地方においては仕事そのものや働き方も変わってくる。最も大きな要因は、デジタル化によって物理的・組織的に職場に縛られない働き方が登場することである。さらに、コロナの影響で、この傾向はより一層加速している。

まず、「非定型分析業務」や「非定型相互業務」に該当する企業経営者や医者・弁護士をはじめ、ＡＩを操る技術者やＩｏＴ省力化ビジネス、スタートアップ、投資家などは、常に高い需要に支えられて給与水準を上昇させ続け、一定数は大都市に集積し続ける。一方で、フリーランス化が職業区分に限らず進み、テレワーク技術の進化により、首都圏で会社に通う生活を強いられることがなくなるため、地方で高収入を得ながら豊かな生活を送る人が増える可能性が高い。

この変化は、賃金が低下していくと予想される「定型認識業務」や「定型手仕事業務」に該当する職業にも当てはまる。例えば、賃金が低下する中で、都市での生活をやめて地方に移住し、フリーランスとして自由に働く一方、デジタル活用によって未経験でも始められるようになった農業も手がけて、収入と食費をまかなう新型の兼業農家が登場する可能性は十分にある。

魅力ある地方都市においては、農業だけではなくＡＩやロボティクスをフル活用した一人企業経営によって、観光業を営んだり、地方の生活の魅力を発信したり、地元産品をインターネットで売ったりするビジネスも出てくるだろう。

さらに、地域に縛られず地方で増えてくると考えられる、デジタル時代ならではのビジネスは、ＡＩ向け情報提供ビジネスだ。例えば、ウェアラブルデバイスを身につけて、どんな運動をしたら心拍数がどう変化するのかなど、ＡＩが学習するための生体データを、通信経由でヘルスケアサービス事業者に提供することで収入を得る人が出てきている。中国では、地方都市の交通データや道路状況などの写真を撮りまくり、その写真にタグづけすることで収入を得ている人がいる。一つの画像にタグづけを行うごとに、日本円にして2円余りがもらえるという。日本においても、ゴーストワーカーなどと呼ばれる、こうしたＡＩの基礎データ収集係としてお金を稼ぐ人が増える可能性は高い。

タグづけやラベリングといった仕事以外にも、こんな例がある。２０１９年、日本で１カ月分の生活保護費相当である約13万円の報酬を提供する代わりに、私生活データのすべてを収集する社会実験の参加者を募ったＩＴ会社、Plasma（プラズマ）がネット上で炎上し、話題となった。その後、同社は実験参加の報酬を20万円に上げ、１３００人を超える応募があった。

日本人の中間層を形成する、都市の企業に通勤して「定型認識業務」に従事するホワイトカラーへの需要が大きく崩れ、ＡＩなどの最先端テクノロジーを活用して新しいイノベーションを起こしていく高度人材とそれ以外の人に二極化する中、新たな働き方の登場とともに、仕事と都市・地方の関係にも今後大きな変化が起こっていくだろう。

参考

シミュレーションの前提条件について

今回のシミュレーションにおける前提条件について、いくつか紹介しておきたい。

一つ目は、ＡＬＭ職種区分別のデジタル代替率である。先行研究などを踏まえ、デジタ

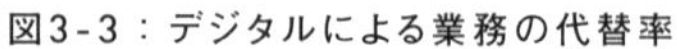
図3-3：デジタルによる業務の代替率

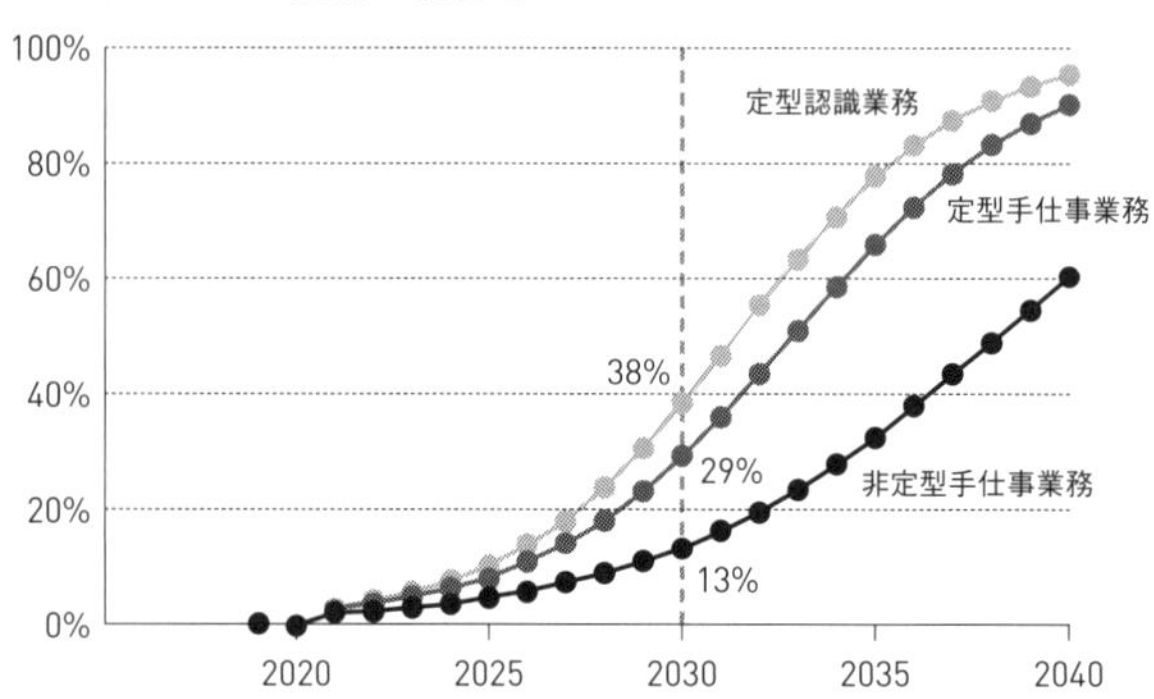

〈出典〉人口問題研究所「将来推計人口」「労働力人口の将来推計」、内閣府「産業別GDP」、総務省「産業連関表」「国勢調査」「労働力調査」「家計調査」「日本の経済状況と労働環境の行方」、労働政策研究·研修機構「賃金構造基本統計調査」「労働市場の二極化」よりアクセンチュア算出

ル化によって仕事が失われる職種区分別のデジタル代替率（デジタルの進化によって何パーセントの仕事が失われるか）は、２０４０年時点で、「非定型手仕事業務」は60%、「定型認識業務」は95%、「定型手仕事業務」は90%に達すると仮定し、そこに向けての変化を先のグラフと推計し前提とした。

二つ目は、産業別ＧＤＰ将来推計である。デジタル化の影響を踏まえたＧＤＰの将来推計においては消費の変化の影響が大きいことから、民間最終消費の変化に応じて、産業を3分類した。民間最終消費割合が高い産業についてはデジタル化の変化が最も現れる家計調査のトレンドを取り入れ推計。中間のものについては、産業別の販売高・消費量のトレンドから成長率を推計。低いものについては過去のGDP成長率トレンドから推計した。

地方創生を目指す大企業の苦悩

最後に、企業視点で大企業の苦悩についても述べておきたい。

経営者の方々と日々会話を交わしていると、日本の伝統企業であろうと、外資系企業であろうと、日本社会の未来に対する真剣度は、企業によってマチマチだと気づかされる。中には、魅力的で素晴らしい地方都市を復活させよう、それこそが日本社会の未来において必要だと語る経営者もおられる。しかし、現時点では、大企業が地方都市に関わろうとするとき、それは社会貢献活動の一環であったり、政府の補助金頼みであったり、あるいは採算の取れそうにないビジネスを義務感から遂行（結果失敗しがちである）したりすることが多いように思う。こうしたやり方には、当然のことながら持続性はない。景気が後退して自社ビジネスの状況が悪化したタイミングや、補助金が打ち切られるタイミングで、あっさりと撤退してしまうだろう。

だが、地方創生を実現させるために、企業が果たす役割は非常に大きい。逆に言えば、真の地方創生を実現し、継続的に進化させていくためには、企業が魅力的な市場として地方を捉え、ビジネスを本気で展開していく必要がある。そうでなければ、絵に描いた餅でしかない。現状は多くの経営者が、絵に描いた壮大な餅を見上げながら、どうしたらそれを実際に食し、人々の腹を満たすことができるのかについて苦悩し、突破口を探しているように思う。

ここまでの章では、日本社会の抱える実情を客観的なデータをもとに述べてきた。地方部、都市部それぞれに深刻な状況が垣間見える。政府も自治体も地域に住む人も企業も、皆がそれぞれの立場で日本の抱える大きな社会課題について苦慮している。なかなか厳しい状況だと言わざるを得ない。

そうした中でも、明るい未来を見いだすことはできる。

次章では、突破口となりうる、一筋の光明について見ていこう。

第4章

地方活性化に向けた一筋の光明

デジタルで可能になった新しい生き方と価値観

これまでの章では、この国の未来に待ち受ける深刻な課題について再認識してもらうために、厳しい状況を赤裸々に記述してきた。暗澹たる気持ちになった人がいるかもしれないが、日本社会の将来に続く道が決して平坦ではないことを再認識し、正しい危機感を持つことが重要だ。事実は事実として、冷静に受け止める必要があると考える。

しかし、私たちに希望の光はまったくないのか？

このまま、沈みゆく船に身を任せるしかないのだろうか？

決してそうではない。社内外で様々な人と議論し、見聞きする中から、ふとそのように思える瞬間がある。まるで暗闇の中に一筋の光明が差してきたかのような感覚だ。一筋の光明とは、従来とは異なる新しい価値観の登場である。ひと昔前の世代にはなかった「新しい生き方」の模索が「新しい価値観」を生み出している。若い世代やアクティブシニア層を中心に、この国の未来にとって見逃すことのできない重要な変化の兆しだ。これは、「はじめに」で述べたデジタル時代の「ＱｏＬとは何か」の答えにつながる。つまり、経済中心ではなくＱｏＬを重視した社会が形成されていく萌芽と言えるだろう。

この章では、地方活性化のきっかけとなりうる、そうした「新しい価値観」や「新しい生き方」について述べていきたい。大きく分けて3つある。「地方への関心の高まり」「雇用に関する意識の変化」「サーキュラー・エコノミーに向けた意識の高まり」だ。

1 地方への関心の高まり

若年層を中心とした地方移住機運

アクセンチュアが東京で開催したある会合でのエピソードを一つ紹介したい。その会合には、数人のベテラン経営者に交じって、二人の若手起業家が参加していた。議論のテーマは地方の抱える問題に移っていった。若手起業家の一人、Aさんは東京で事業をしながら地方にも生活拠点を構える「デュアルライフ」を実践した経験があり、もう一人の若手経営者Bさんはデュアルライフをこれから実践しようとしていることがわかった。二人とも地方での生活をポジティブなものとして捉えていたのだ。

Aさんは当時、生まれ育った東京に事業拠点を持ちながら山梨県の富士吉田で生活していた。Aさんは言う。

「地方育ちの人にとって東京は憧れの都市かもしれないが、自分のような東京生まれ東京育ちの人間からすると、地方での生活にとても興味がある」

また、実際に地方で暮らしてみた感想として、「東京とは違う豊かさがあり、時間の流れ方も違った。『時間の無駄と、時間の余白は違う』ということを強く実感した。東京での生活には時間の無駄があったが、余白はなかった。地方での生活には、時間の余白がある」と述べ、非常に感銘を受けた。

もう一人の、これからデュアル生活を始めようとしていたBさんは、地方と東京の良いところを組み合わせた新しい事業モデルを構想しており、すでにその検証のために何度か候補地となる地方に足を運んでいた。Bさんは言う。

「地方に行くと、現地の人が当たり前に思っている部分に大きな価値があることに気づかされる。アクティブな人が地方に行くと、そうした価値を再発見し、具現化できる。地方に大きな可能性を感じる」

この指摘にもまた、非常に重要な示唆が含まれているように思う。

この二人に限らず、若者の中には、地方生活に関心を抱き、実際に移住する人が増え始めている。

図4-1は地方移住に関心のある人の割合を示す調査だ。国土交通省が出している2017年の国土交通白書からとったもので、年代別、現在住んでいる都市規模別にその動向を調べている。なお、「地方移住の推進に関心のある人の割合」であるため、そこには「地方に移住したい」人だけではなく、（現在地方に居住しており、地方に）来てもらいた

図4-1：地方移住への関心が高まりつつある

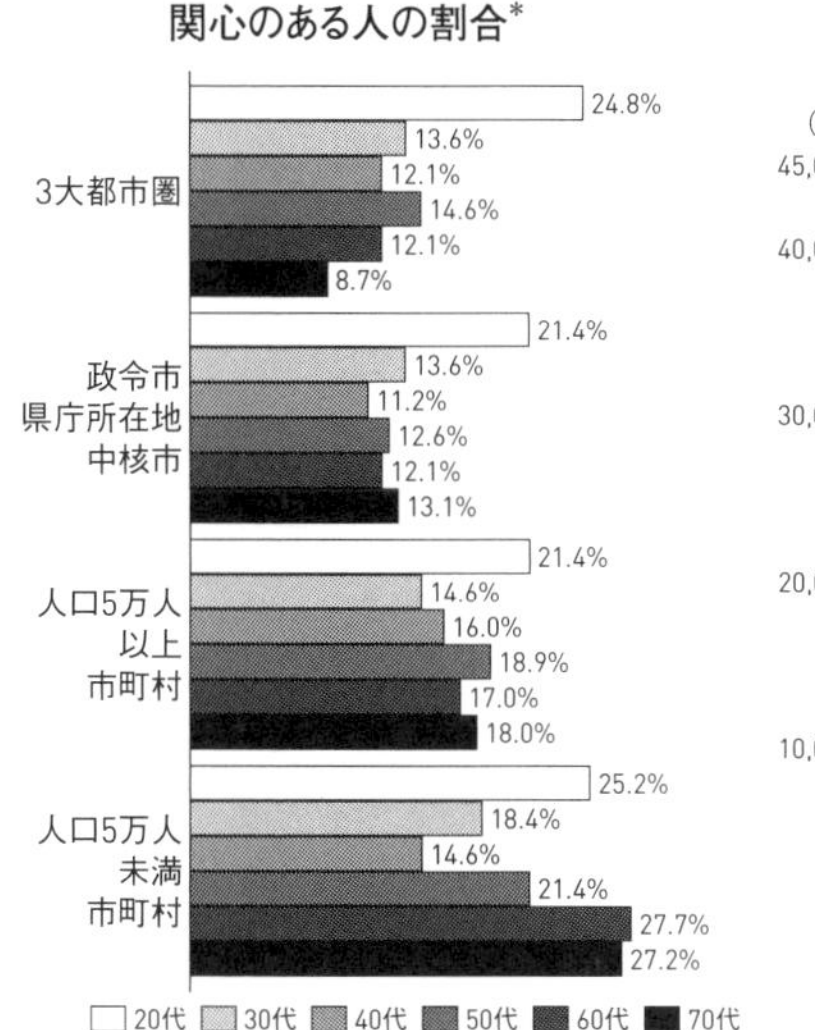

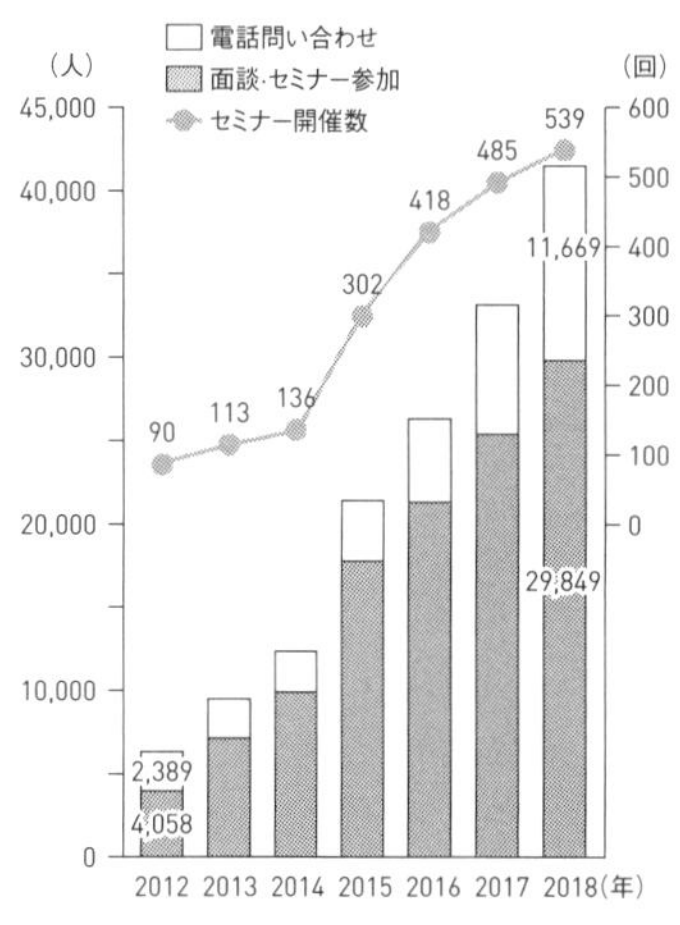

＊移住者誘致による地域活性化への関心も含まれる

〈出典〉国土交通省「平成29年度国土交通白書」、ふるさと回帰支援センター「ニュースリリース（2019年2月19日）」より作成

いという意味で関心のある人も含んでいる。いずれにせよ、3大都市圏の若年層を中心に、地方移住に関心を持つ層は意外と多いことがわかる。例えば、3大都市圏の20代では24・8％（約4分の1）の人が地方移住の推進に興味があると答えており、地方への関心の高まりが窺える。

30代になると定職や家族を持つ人が増えるため、この割合が13・6％に低下する。だが、少なくとも20代という若い世代であれば東京などの3大都市圏だけではなく、政令市や県庁所在地の中核都市、さらには5万人未満の市町村に至るまで、20％以上の人たちが地方移住に興味を持っていることがわかる。

さらに、ふるさと回帰支援センターへの来訪者、もしくは問い合わせする人の数も年々増えている。ふるさと回帰支援センターは、地方暮らしやIターン、Jターン、Uターンの支援、あるいは、その他地域交流を深める人の支援を行っているNPO法人である。同センターで開催されるセミナーの数も、来訪者や問い合わせ数の増加に呼応する形で2015年から一段と増えている。こうしたことからも、地方移住への関心が高まりつつあることが垣間見えてくる。

2014年度の国土交通白書によると、地方移住の希望者が感じる魅力として、「自然環境が豊かである」「生活費が安く、ゆとりをもって生活ができる」「時間的に余裕をもった生活ができる」「広々とした居住環境が得られる」が挙げられている。これは、私が個人的に話したことのある地方移住者のコメントとも近い。やむを得ない事情で地方に移住するのではなく、地方での生活をポジティブに捉え、地方ならではの生活に魅力を感じていることがわかる。

デュアラー――都心と田舎の二重生活を楽しむ「普通」の人々

先ほど触れた起業家Aさんのように、完全に地方に移住するのではなく、片足を都心に残しつつ地方生活を楽しむ人たちは、都市と田舎の「2拠点生活（デュアルライフ）をする人」という意味から「デュアラー」と呼ばれている。

リクルートホールディングスでは毎年年末に、翌年はやりそうなキーワードを8つの領域ごとに発表している。デュアラーは「住まい」の領域で2019年にはやるキーワードとして選ばれた。

2拠点生活という言葉から、以前は富裕層の別荘や、お金と時間に余裕のある定年退職者がゆったりと過ごす田舎暮らしを想像された人も多いだろう。もちろん、そういった側面がなくなったわけではないが、近年では違う意味合いで2拠点生活をする人が増えている。年齢は20代から30代、収入は決して多くない層によるデュアルライフである。「小さな子どもがいて、子どもたちを自然に触れさせるために地方ライフを楽しみたい」といった感覚で、2拠点生活をスタートしているのだ。

東京圏や大阪圏のデュアラーの属性を見てみよう。リクルート住まいカンパニーが実施した「デュアルライフ（2拠点生活）に関する意識・実態調査2018」によると、年齢は20代が29％、30代が29％となっており、若年層がデュアラーの約60％を占めている。世帯年収は400万円から600万円が18％、600万円から800万円が18％、400万円未満が16％と、800万円以下の世帯が全体の過半数を占めている。富裕層が余裕で田舎暮らしをするのとは異なり、若い、いわば一般的な普通の人たちが気軽に2拠点生活をするようになってきているのがわかる。

では、具体的にどんな人たちがデュアラー生活を楽しんでいるのか。リクルート住まいカンパニーが発表している内容（https://www.recruit-sumai.co.jp/sumai/2019_dualer.html）をベースに見てみよう。

［事例1］のびのび子育てデュアラー

ＩＴ企業に勤めるＡさん（35歳）は、妻、7歳と5歳の子どもの4人家族。年収は700万円で自宅は神奈川県横浜市。週末、子どもと一緒に農作物を育てながら食育をしようと考えている。千葉県南房総に1500坪の敷地に建つ古民家（月額賃料2万5000円）を見つけ、夢の2拠点生活をスタートさせた。物件探しは、地方自治体が空き家情報を収集し、あっせんするサービスを利用した。妻は食費が浮くと喜んでいるという。

今後は、妻と子どもが田舎に住み、失敗しながらも農作物を育て、夫が月曜日から金曜日まで東京で働き、週末に田舎に戻るという生活でもいいかな、と家族で考えているところだ。

［事例2］ 地域貢献デュアラー

神奈川県川崎市に住むブランドコンサルタント兼デザイナーのBさん（35歳）は、妻と一緒に、東京の仕事で得たスキルを活かして地域活性化に貢献できないかと模索していた。そんな中、長野県小布施でのデザイナー求人に応募し、2拠点生活をスタートした。月1回ではあるが、コリビング施設に1泊3500円で宿泊。地域活性化のためのアイデア会議に出席している。東京とは異なる刺激的な価値観を持つ人との交流や、地域活性化に貢献できる充足感にとても満足しているという。

2 地方移住に関する意識調査

本書の刊行に当たり、アクセンチュアでは地方移住に関する実態を探るため、10代～70代の2万1000人を対象にランダムサンプリングを行い、そこから過疎地移住者、過疎以外の地方移住者、過疎移住終了者（過疎地に移住したのち移住生活を中止して都市に戻った人々）、過疎以外の地方移住終了者（過疎以外の地方に移住し都市に戻った人々）、デュアラーの5つのセグメントについて60名ずつ抽出して調査を行った。地方移住やデュアラーといったムーブメントをより活性化させるためのヒントが得られたので記しておきたい。

図4-2：移住直後の項目別満足度ランキング

移住経験者全体	継続者	終了者
1 自然の豊かさ	1 水・空気の質	1 自然の豊かさ
2 水・空気の質	2 自然の豊かさ	2 住環境（日当たり・広さなど）
3 住環境（日当たり・広さなど）	3 住環境（日当たり・広さなど）	3 水・空気の質
4 身体的健康状態	4 治安状況	4 身体的健康状態
5 治安状況	5 精神的健康状態	5 治安状況
6 精神的健康状態	6 身体的健康状態	6 精神的健康状態
7 余暇の時間の長さ	7 余暇の時間の長さ	7 仕事のやりがい
8 道路混雑状況	8 道路混雑状況	8 道路混雑状況
9 仕事のやりがい	9 地域行事・活動	9 余暇の時間の長さ
10 地域コミュニティの交流	10 地域コミュニティの交流	10 医療機関の数
11 地域行事・活動	11 労働時間・休暇日数	11 労働時間・休暇日数
12 労働時間・休暇日数	12 仕事のやりがい	12 子育て支援策
13 医療機関の数	13 医療機関の数	13 医療機関の質
14 子育て支援策	14 子育て支援策	14 地域コミュニティの交流
15 医療機関の質	15 支出	15 教育機関の多さ
16 支出	16 医療機関の質	16 地域行事・活動
17 教育機関の多さ	17 教育機関の多さ	17 支出
18 教育機関の質	18 教育機関の質	18 教育機関の質
19 娯楽の選択肢の数	19 娯楽の選択肢の数	19 娯楽の選択肢の数
20 収入	20 収入	20 公共交通機関の利便性
21 公共交通機関の利便性	21 公共交通機関の利便性	21 収入

〈出典〉アクセンチュア実施の移住経験者アンケート（2019年）結果より作成

まず、移住者、デュアラーともに、移住直後に感じる満足度が高い項目は共通している。それは「水・空気の質」「自然の豊かさ」「住環境」「治安状況」「精神的健康状態」。これらの点は、移住によって得られるプラス面として、しっかりアピールしていくべきだろう（図4-2）。

一方、移住直後に感じる不満点は、図4-2の下位3要素を見ると「公共交通機関の利便性」「娯楽の選択肢の数」「収入」がトップ3に入る。このうち、「公共交通機関」と「娯楽」は、ある程度事前に予測可能なためか、必ずしも移住をやめる原因にはならない。移住終了の原因となるのは、過疎地移住者の場合、「身体的健康状態」「精神的健康状態」「収入」「医療機関の数」

図4-3：項目別移住終了理由ランキング

過疎地域への移住終了者	その他地方への移住終了者
1 身体的健康状態	1 子育て支援策
2 精神的健康状態	2 仕事のやりがい
3 収入	3 精神的健康状態
4 医療機関の数	4 住環境
5 仕事のやりがい	5 身体的健康状態
6 住環境	6 収入
7 労働時間	7 道路混雑状況
8 娯楽の選択肢の数	8 治安状況
9 余暇の時間の長さ	9 自然の豊かさ
10 公共交通機関の利便性	10 労働時間
11 自然の豊かさ	11 医療機関の数
12 水·空気の質	12 支出
13 治安状況	13 公共交通機関の利便性
14 子育て支援策	14 余暇の時間の長さ
15 医療機関の質	15 教育機関の質
16 道路混雑状況	16 医療機関の質
17 教育機関の質	17 水·空気の質
18 支出	18 娯楽の選択肢の数
19 教育機関の多さ	19 教育機関の多さ
20 地域コミュニティの交流	20 地域行事·活動
21 地域行事·活動	21 地域コミュニティの交流

〈出典〉アクセンチュア実施の移住経験者アンケート（2019年）結果より作成

「仕事のやりがい」であり、過疎地以外の移住者においては「子育て支援」「仕事のやりがい」「精神的健康状態」「住環境」「身体的健康状態」となっている（図4-3）。共通して言えるのは、健康と仕事の両面で折り合わないと、移住の終了につながるケースが多いということだ。

特に仕事面に関しては、「仕事のやりがい」に関する不満が、生活全体の満足度の低下に強い影響を与えることがわかっている（図4-4）。図4-5にある通り、「仕事のやりがい」と実際の収入は必ずしも一致せず、年収が低いグループにおいても「仕事のやりがい」の満足度が高ければ生活全体の満足度も高くなる。

ここで、多くの地方自治体が移住者の誘

図4-4：移住継続者の現在の生活全体満足度

（満足度は「-5（不満）」〜「5（満足）」のレンジで回答。2以上を「満足」、-2以下を「不満」と定義。以下も同じ）

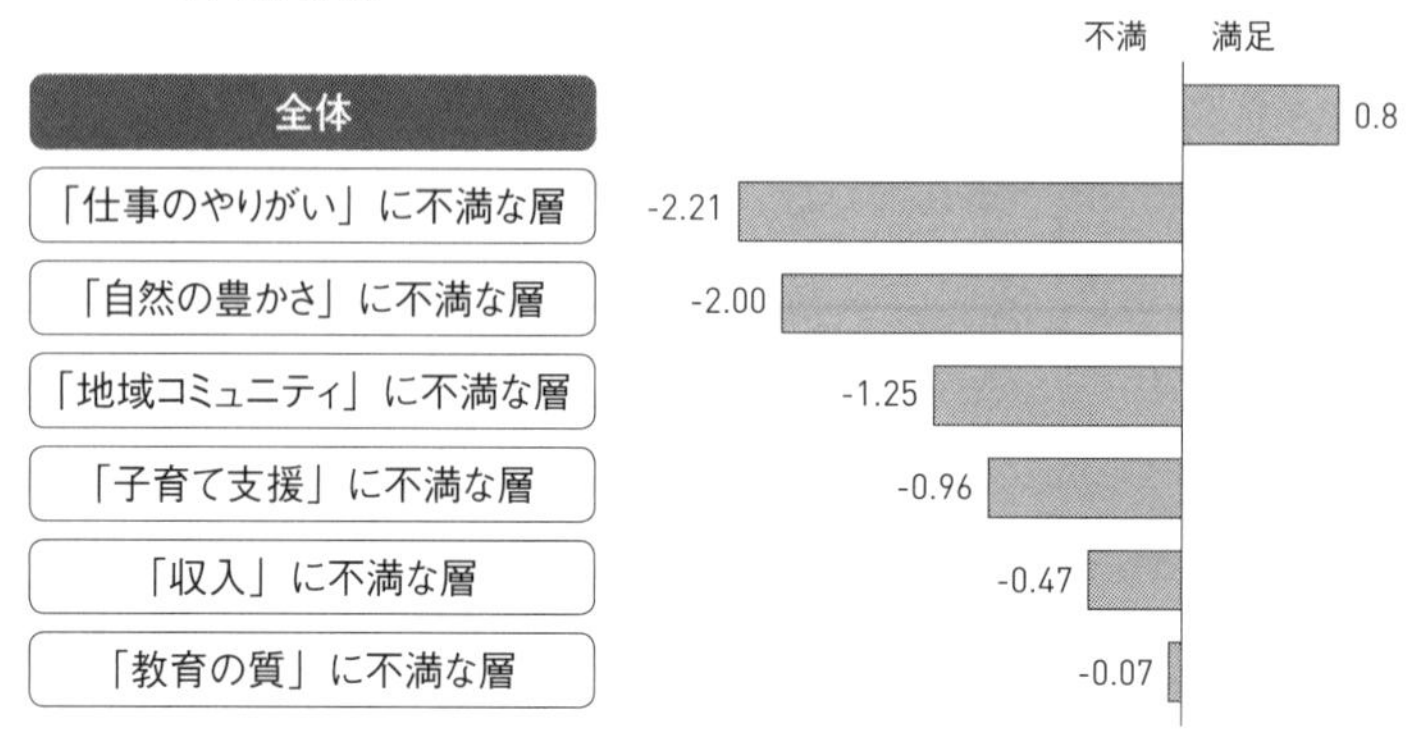

〈出典〉アクセンチュア実施の移住経験者アンケート（2019年）結果から作成

図4-5：「仕事のやりがい」と収入の関係（満足度は-5（不満）〜5（満足）のレンジで回答）

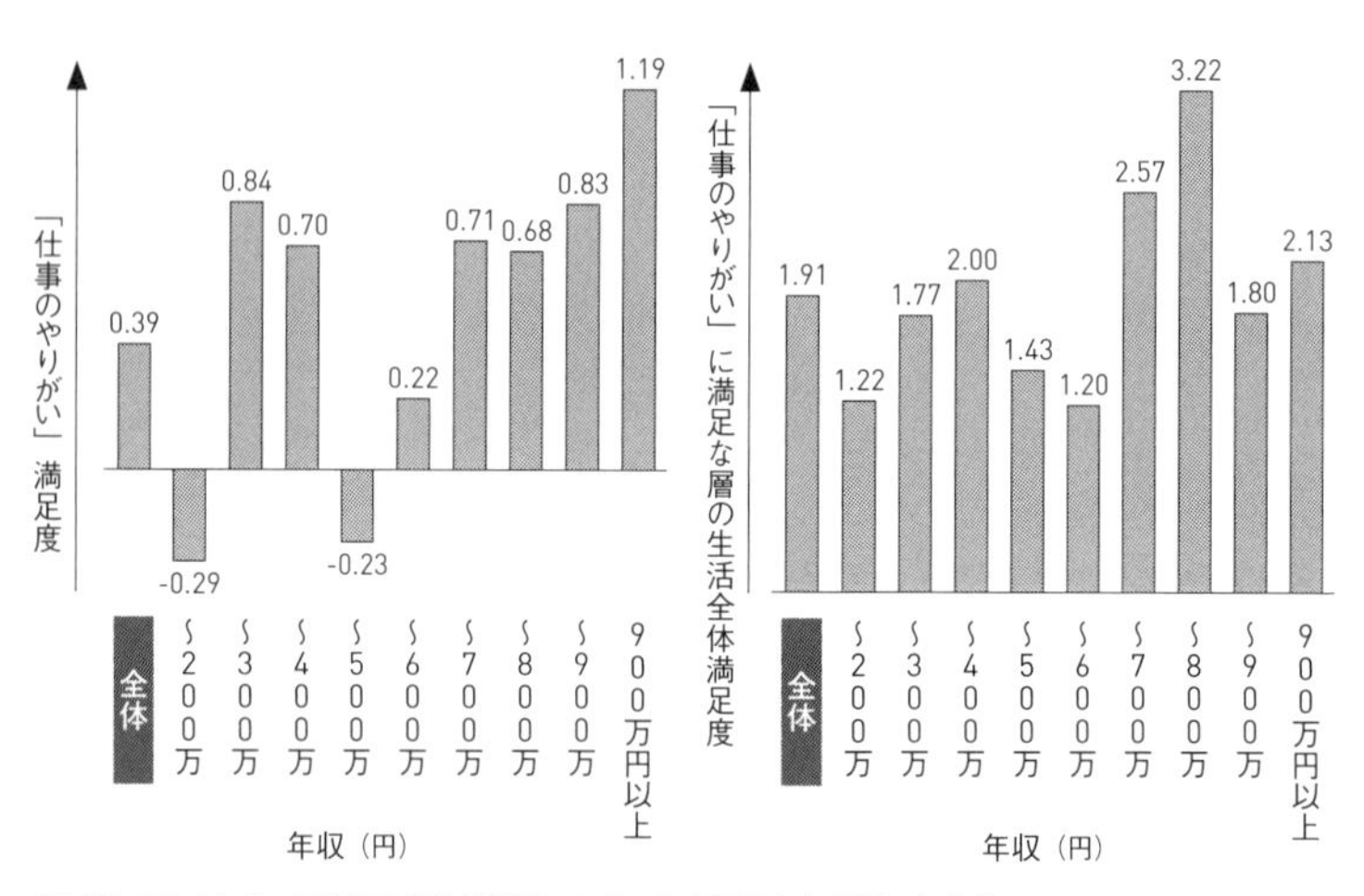

〈出典〉アクセンチュア実施の移住経験者アンケート（2019年）結果から作成

図4-6：年代別の生活全体満足度と仕事のやりがい満足度

（満足度は-5（不満）～5（満足）のレンジで回答）

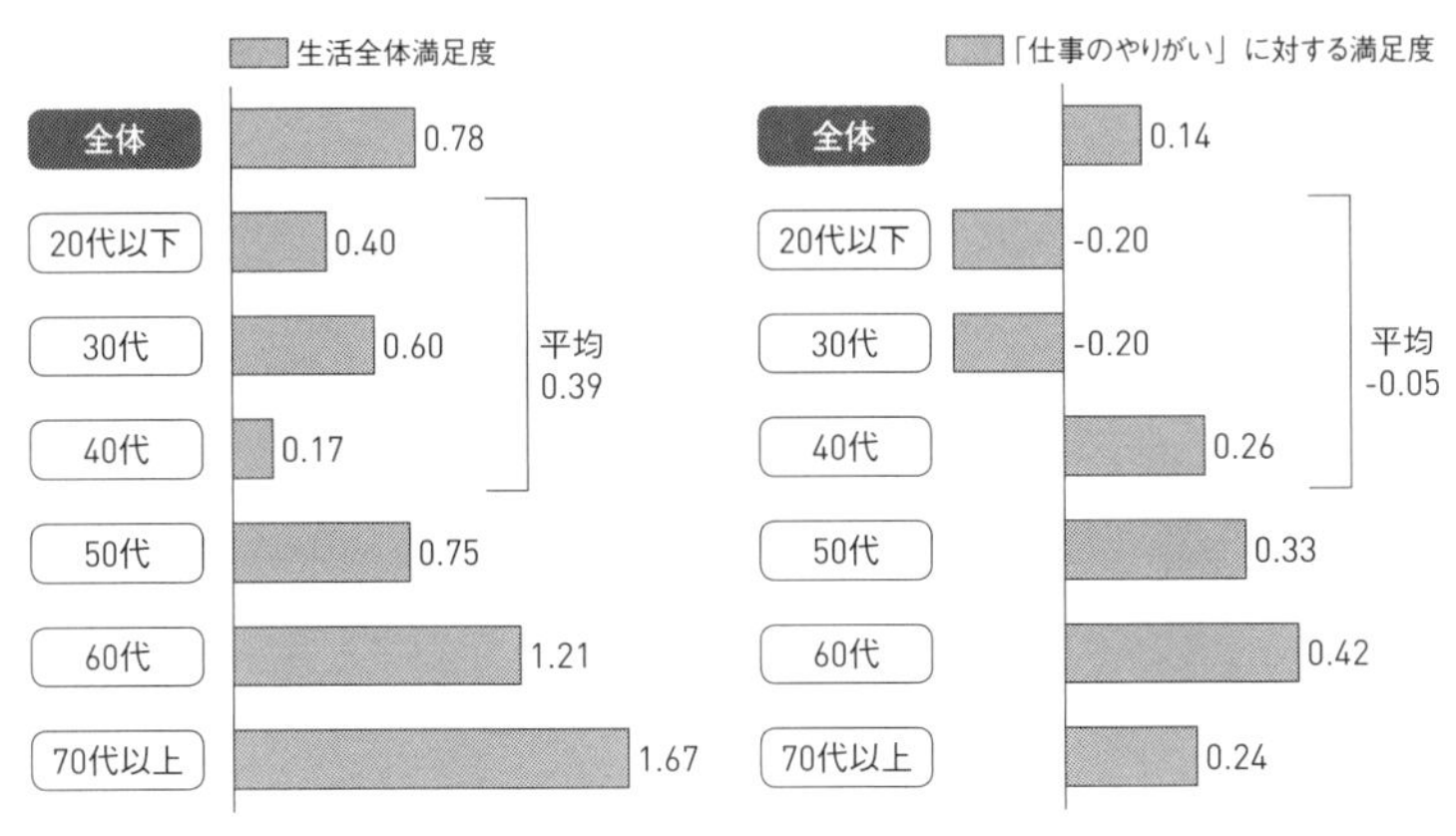

〈出典〉アクセンチュア実施の移住経験者アンケート（2019年）結果から作成

致ターゲットとしている子育て世代に当たる20～40代の動向に注目してみると、この世代はより高齢の世帯と比較して生活全体の満足度が低く（図4-6）、これには前述の「仕事のやりがい」に関する不満が関係していると言える。中でも30代の子どもがいる世帯に注目すると、この層は医療と地域コミュニティに関する不満が大きい（図4-7）。つまり、20代、30代の住民を誘致するには、仕事のやりがいの改善とともに、子どもがいることで必要となってくる「医療」や「地域への接点」での不満解消も、子育て世代を誘致するうえで重要であることがわかる。

雇用に対する意識の変化――

大企業よりスタートアップに行きたい

そもそも、なぜ東京都や大都市に人が集まる

図4-7：30代の医療と地域コミュニティに関する満足度

（満足度は-5（不満）〜5（満足）のレンジで回答）

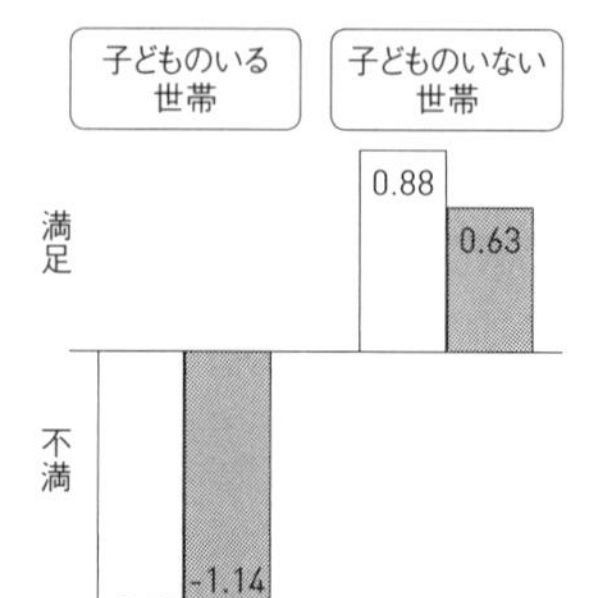

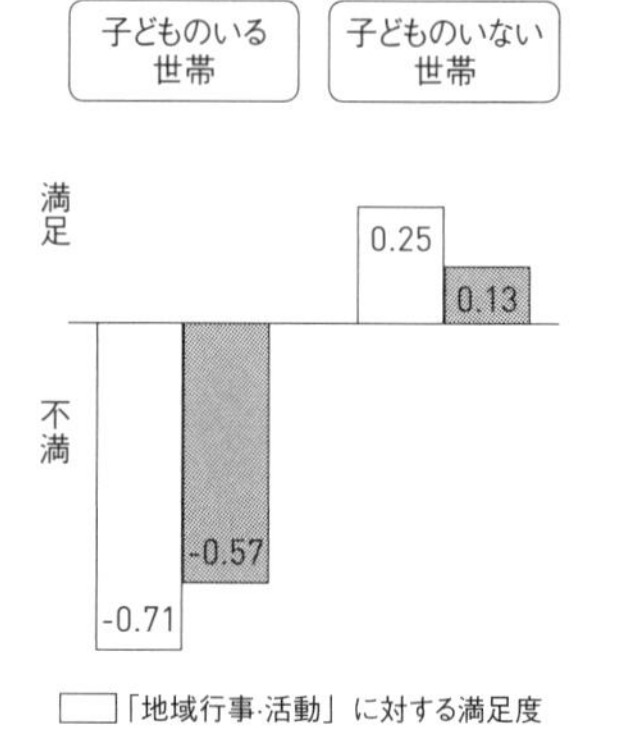

〈出典〉アクセンチュア実施の移住経験者アンケート（2019年）結果から作成

のか。理由はいくつかあるが、やはり大企業の本社をはじめ、そこに「雇用」が集中していることが大きな要因の一つだ。少し前までは、大企業に就職して終身雇用で安定した稼ぎを得る、あるいは、終身雇用とまではいかないまでも、大企業間で転職しながらキャリアをまっとうすることが、多くの人が求める働き方だった。そのため、大企業は雇用が確保できるよう若者や労働者の多い大都市に集中し、結果的に地方から大都市に人が流出していたわけだ。

しかし、ここにきて変化の兆しがある。

まず、優秀な学生は必ずしも大企業に興味を抱かなくなってきている。

日経産業新聞が調査した東京大学大学院卒業生のＩＴ人材就職先ランキングによる

と、2008年度卒や、2013年度卒までは、ソニーや日立製作所などの大企業が就職先の上位だったが、2018年度卒では様相が一変。なんと、スタートアップ企業がトップに躍り出た（日経産業新聞2019年8月15日「IT秀才 引きつける新興」）。最先端のITスキルを有する人材は、もはや安定よりも（そもそも大企業が必ずしも安定した職場とは言えなくなってきている）、自らが成長できる、やりがいのある仕事を選ぶようになってきているのだ。地方都市であろうと、中小企業であろうと、やりがいがあり、能力を活かせる仕事をつくりだせれば、大都市の大企業に優秀な若手人材を持っていかれずにすむ環境ができつつある。ちなみに、東大・京大2021年卒の就職人気ランキング（ワンキャリア調べ）でアクセンチュアが1位になっているのも、仕事のやりがいに起因している部分が大きいと思う。

100年時代のアクティブシニアのセカンド、サード職場

若者だけではない。

熟練したスキルや知見を持つシニア層の動きにも注目する必要がある。

2016年に刊行された、リンダ・グラットン氏とアンドリュー・スコット氏の著書『LIFE SHIFT（ライフ・シフト）100年時代の人生戦略』は日本でも大ブームに

なり、その後、様々なシチュエーションで「人生100年時代」というワードを聞くことが増えた。この本は、日本をターゲットにして書かれたわけではないが、平均寿命で世界1、2位を争う日本社会において、得るべき示唆に富んでいる。従来、「教育」→「仕事」→「引退」というステージを経ていくのが一般的なキャリアだったが、これは大きく変わっていく。人生3毛作、4毛作を前提に、柔軟にキャリアチェンジをしたり、途中で学び直しの機会を利用したりと、多様にライフスタイルを変更させながら、高齢になっても働ける限りは働く人が、今後ますます増えていくだろう。

例えば、2019年10月31日の日本経済新聞（「働き方進化論 第4部やる気の未来（2）社会人半ば、舞台新たに」）に、電機大手のキヤノンを辞めて、農業分野のスタートアップ企業、inahoに就職し、アスパラガスの収穫実験に挑んでいる人の話が紹介されていた。彼は、レーザープリンターの開発で中核を担っていたが、「日本の農業をロボットで立て直す」という企業理念と市場の可能性に惹かれて転職したという。

アクセンチュア出身の人の中にも、彼と同じように会社を退社した後、大企業や同業に転職するのではなく、地域課題の解決のために次のキャリアステージを捧げようと地元に帰って起業したり、社会課題の解決に取り組む企業に転職する人は多い。彼・彼女らのアクセンチュアで培ったスキルや経験、すなわち、事業計画の策定、ITに関する知識、多様な関係者をつなげる力、業務モデルを構築する力、人脈、チームワーク力などが大いに活きているようだ。アクセンチュアだけでなく、大企業にいたことで得られる様々なスキルや経験は、地方や中小企業において不足しがちなものも多く、活かせるケースが多いのではないだろうか。

若い子育て世代にとっては、やはり収入の多さが職場決定の決め手になるケースが多い。しかし、40代や50代などのベテランワーカーで、子育ても一段落した層の中には、人生100年時代の長いキャリア生活における一キャリアステージとして、収入や安定よりも、やりがいや社会への恩返しといった点を重視する人が増えてくると思う。

こうした、アクティブなマチュア層（50〜64歳）・シニア層（65歳以上）をいかに社会課題の解決や地方創生の原動力へと変えていけるかが、これからますます重要だ。

リキッドワークフォースの時代

アクセンチュアでは毎年、『テクノロジー・ビジョン』と呼ばれるレポートを出している。今後3年から5年のうちに企業、政府機関、およびその他の機関に最も大きな影響を及ぼすと予想される新たなＩＴ分野の事象をまとめたレポートである。そのテクノロジー・ビジョンの２０１６年版で、「リキッドワークフォース」という概念を発表した。

リキッドワークフォースとは、特定の企業に雇用され、特定の部署・業務分掌を前提に働く固定的な労働力ではなく、プロジェクト単位で社内外の必要なスキルを持つ人が必要なタイミングで働く流動的な労働力を示した概念である。

このリキッドワークフォースを具現化する動きが、最近社会的に活発化している。フリーランスや副業をする人の増加である。

まずは、フリーランスについて見てみよう。2019年7月24日発表の内閣府推計「日本のフリーランスについて　その規模や特徴、競業避止義務の状況や影響の分析」によると、日本のフリーランス人口は306万~341万人と推定され、これは全就業者の4・6%~5・1%を占めている。これまで日本では、いわゆるフリーランスに関する公的統計は存在せず、ランサーズ社やリクルート社などの推計だけだった。内閣府の推計は、そうしたものとは定義の違いもあり、民間企業の推計よりもかなりコンサバに算出された数字となっている。逆に、手堅く見積もってもこの程度はいる、という数字と言え、今後増えることが予想される。

また、副業についてはどうだろうか。実態を示す数字を確認してみよう。総務省が発表した「就業構造基本調査結果（2017年）」によると、副業者の比率は4%で、2012年に比べて0・4ポイント上昇。また、副業をしてみたいという、追加就業希望者比率にいたっては6・4%となっており、2012年から0・7ポイント増加している。

副業希望者が増えるのに呼応するように、副業を容認する企業も増えてきている。企業側の実態を調べたレポートはいくつかあるが、例えば、ProFuture株式会社／HR総研が2019年の3月に行った企業調査（有効回答数166件）では、兼業・副業を推奨・容認している企業は全体の12%だった。パーソル総合研究所が2018年10月に行った調査（有効回答数1641件）でも、副業を全面的に容認している企業は全体の13・9%であり、多少の誤差はあるものの、おそらく10%超の企業が副業を容認していると考えられる。

個々人が副業を始める背景には主に二つのパターンがある。一つは低所得者層が不足する所得の穴埋めをするためやむなく副業をするケース。もう一つは所得の多寡に関係なく、保有スキルを現在所属する職場以外でも活かしてみようというパターンだ。後者は、自己実現や社会との新たな結びつきを求めて行う副業である。社会問題や地方の抱える問題の解決において、この理由で副業を希望する人たちが活躍できる場をいかにうまく提供していけるかが、日本社会の未来を考えるうえで重要だ。

3 サーキュラー・エコノミーへの関心の高まり

「サーキュラー・エコノミー」という言葉をご存知だろうか。日本語に直すと「循環型経済」。地球環境とビジネスが両立するような、いわば再生し続ける経済環境を指す概念である。製品・部品・資源を最大限活用し、それらの価値を目減りさせずに永続的に再生・再利用し続けるビジネスモデルを意味する。最近、日本企業の中にも、ビジネスモデルを模索する事例が増えてきている。

遊休資産を最大限活用するシェアリングビジネスなども、サーキュラー型ビジネスモデルの一つだ。アクセンチュアが日本で、書籍『サーキュラー・エコノミー　デジタル時代の成長戦略』（日本経済新聞出版社）を刊行した2016年当時、想定以上に反応が鈍いと感じたのだが、この数年でサーキュラー・エコノミーに関する問い合わせが非常に増えており、世間の関心が次第に高まっていることを感じる。

サーキュラー・エコノミーの盛り上がりの背景には、いわゆる「もったいない」文化に象徴される、人々の価値観の変容がある。アクセンチュアが2018年に行った「グローバル消費者調査」の結果を見ても、消費者がモノやサービスを購入する際に、価格や品質

図4-8：企業において重視される要素

質問：「価格・品質以上に、どのような要素を重要視しますか?」
——「極めて重要視する」「重要視する」との回答に占める各要素の割合

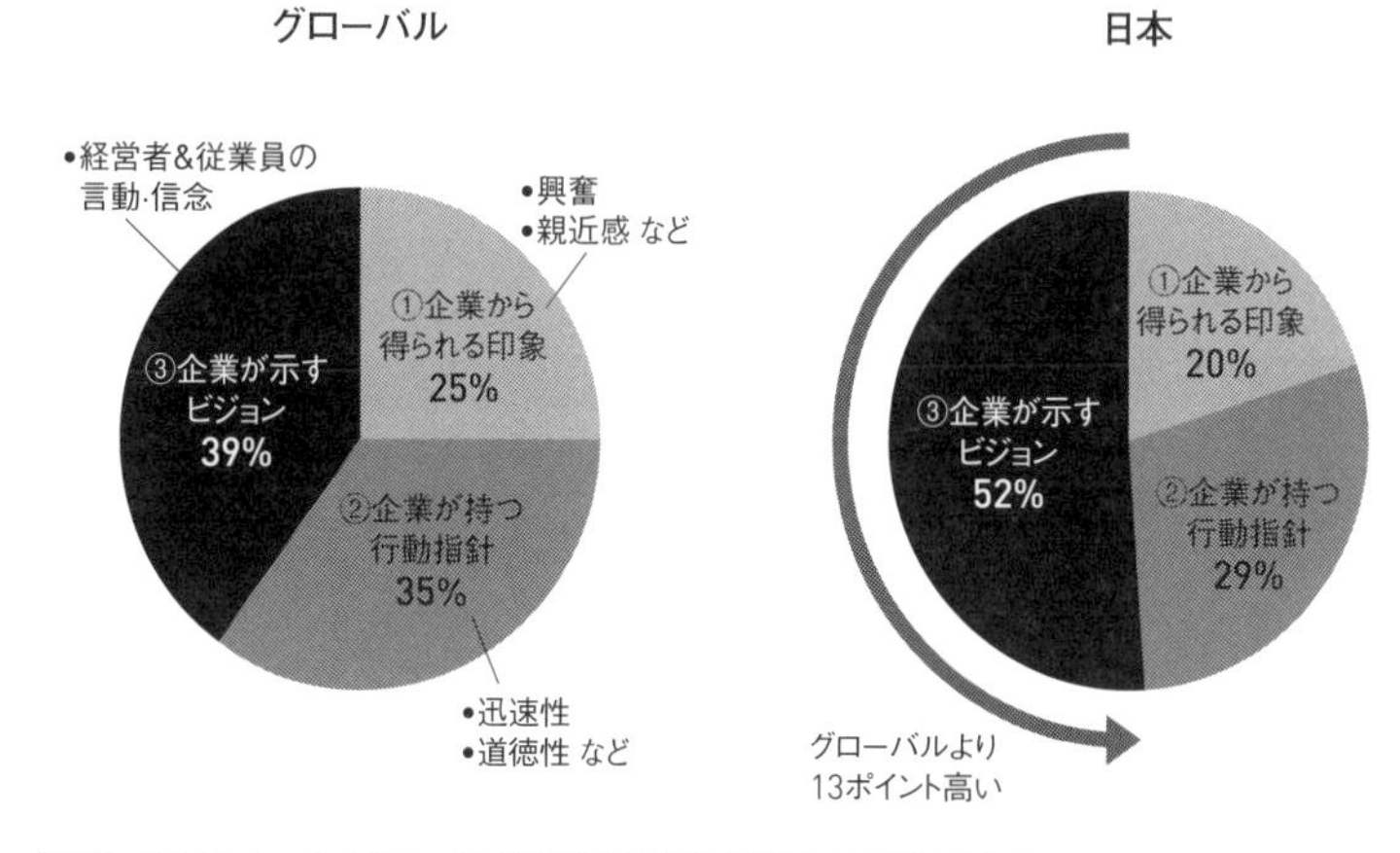

〈出典〉アクセンチュア「グローバル消費者調査（2018年）」の結果から作成

図4-9：社会問題に関わる企業への期待

質問：「企業には、重要な社会的問題に対して態度を明確にしてほしいですか?」
——「常に明確にしてほしい」「時には明確にしてほしい」と答えた割合

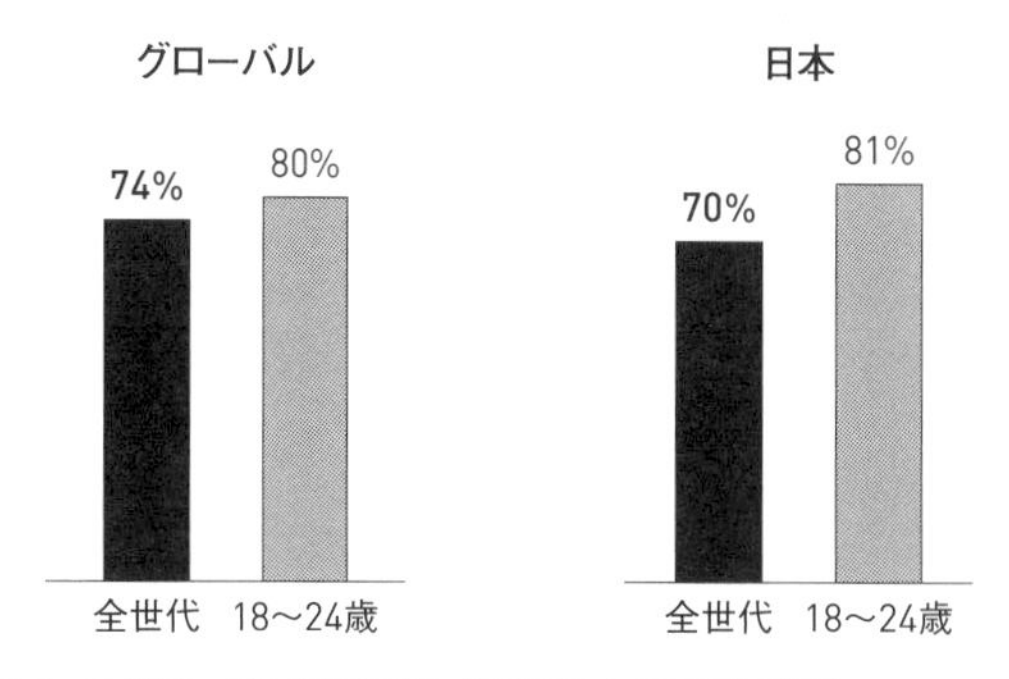

〈出典〉アクセンチュア「グローバル消費者調査（2018年）」の結果から作成

以上に企業が示すビジョンを問うようになってきているのがわかる。調査によると、国内外問わず、消費者の70％以上が、重要な社会的問題に対して企業が明確な態度を示すことを期待しており、この傾向は若い世代ほど強く、その比率は18～24歳において80％にのぼる。

サーキュラー・エコノミーの例として、四国で日本一サステイナブルな町と言われる徳島県上勝町（かみかつちょう）を見てみよう。人口1500人と小さい町だが、リサイクルが非常に進んでいる。また、最初から無駄を出さない仕組みも徹底されている。例えば、調味料・食材の量り売りによる食品ロス低減、廃校になった小学校や廃屋などから出た廃材を活用したレストラン併設の地ビール工場建設、いらなくなった鯉のぼりやぬいぐるみを使った洋服などの製造販売など。何も考えずに捨てれば単なるゴミだが、アイデア次第でそれを価値あるものに変えることができる。

上勝町に限らず、空き家や加工途中で捨てられる廃材の活用など、多くの地方にとって無駄を価値に変えるチャンスはいくらでもある。世の中のサーキュラー・エコノミーに対する関心の高まりは、それを後押しするきっかけだ。

4　スポーツを通じた地域コミュニティの形成

さて、ここまで「地方への関心の高まり」「雇用に関する意識の変化」「サーキュラー・エコノミーへの意識の高まり」の3つの視点から人々の価値観の変化について述べてきた。最後に、少し毛色が異なるが、「スポーツを通じた地域コミュニティの形成」が持つポテンシャルについても述べておきたい。

古くはプロ野球、平成に入ってからはJリーグによる地域密着型経営が話題となり、近年ではパリーグによる取り組みやVリーグ、Bリーグ（バスケットボール）といった新しいプロスポーツを通じたコミュニティの形成と、それらを通じた地域経済振興に挑戦する地方が増えつつある。例えば、Bリーグは、スタジアムを中心としたまちづくりへの寄与と、デジタル活用によるスタジアム内体験の向上などに積極的に取り組もうとしている。本書では、以下でデジタルを活用したスポーツを通じた地域活性化において先を行く海外の取り組みを紹介し、さらに日本でどう実現していくかを考えてみたい。

リーバイス・スタジアム

アメリカにあるＮＦＬサンフランシスコ・フォーティナイナーズの本拠地、リーバイス・スタジアムでは、デジタルによるチケット販売を軸に、トイレの空き状況可視化から座席での飲食品購入・デリバリー、パーソナライズされたファングッズの販売、駐車場事前予約などまで、アプリを通じてサービスや情報を提供する。さらに、アプリから得られるデータを活用することで観客誘導や個別メッセージをファン向けに発信することでスタジアムに訪れるファンを増やし、結果的に客単価を向上させた。

こうしたスタジアム経営におけるカスタマーエクスペリエンス（ＣＸ）改善施策に加えて、ＡＰＩ（Application Program Interface＝ソフトウェア同士がデータ等をやり取りする際のルールや仕様）を周辺事業者に開放していくことで、ボールパークの経済圏を周辺の街まで広げることに成功した。例えば、スタジアム帰りの観客をタクシーとアプリで周辺レストランに誘導することができる。この事例は、スタジアムを中心とした経済圏構築を実現していると言える。

アムステルダム・アリーナ

アムステルダムはスマートシティにおいて草分け的な存在である。そのアムステルダムで、アムステルダム・アリーナはスマートシティ担当者が最も成功した事例の一つと主張するものだ。これは地元サッカークラブのホームスタジアムであるヨハン・クライフ・アリーナを活用した、イノベーション創出の取り組みである。

このスタジアムでは、各種センサーからのデータや顧客の購買データのほか、スポンサーの一つであるアムステルダム市のデータがデータハブとして蓄えられ、定期的にハッカソン（ソフトウェア開発者などが集まり、特定のテーマに対して決められた期間内で開発し、成果を競うイベント）が開催される。そこには、国内外のスタートアップがスタジアムを舞台にした様々なサービスを開発・プレゼンし、優秀なサービスに対してはEUからの投資やベンチャーキャピタルとのマッチングが行われるだけでなく、スタジアムで3カ月間の実証の機会を与えられる。さらには、その実証でスタジアム経営への有用性が認められれば、スタジアムがファースト・カスタマーとしてサービスを採用するほか、自治体の力を借りて国内の他のスタジアムへの展開支援も行われる。そうした魅力ある機会を活かそうと、数多くのスタートアップ・新規サービスが集まり、新たな地域経済の創出や、スタジアム経営の改善にもつながっている。

これに似た取り組みは、日本の横浜スタジアムや福岡のヤフオクドームでもすでに始まっており、今後が注目される。

チェイス・センター

アメリカのNBA所属チーム、ゴールデン・ステート・ウォリアーズの本拠地であるチェイス・センターでは、アムステルダム・イノベーション・アリーナの取り組みをさらに進化させた。イノベーションパートナーとしてアクセンチュアが、アリーナビジネスに関するデジタルソリューション開発を目的としたオープンイノベーションハブを運営。そこに、楽天やグーグル、HP、ウーバー（Uber）などといったテクノロジー企業がイノベーションカウンシルとして参画し、ハブを有償で利用しながらソリューションの開発とPoC（実証実験）をリアルなスタジアム・アリーナを使って実施。うまくいったソリューションはスタジアムに導入され、カウンシル各社は開発後すぐに最初の顧客を見つけることができる。この仕組みにより、旧来の命名権やスポンサー（チェイス・センターではユナイテッド航空、アメリカンエクスプレス、レクサスなど）だけでなく、テクノロジー開発の拠点としての魅力で新たな形のスポンサーを獲得している。

スポーツビジネスの多くで、（特に日本は）主役であるスポーツチームの財務基盤が弱いことから、スポンサー頼みになりがちだ。そのうえ、純粋なスポーツ関連の集客力や広告価値だけを評価すると、特に地方においては高く評価されないことが多い。広告代理店による値付けの結果、命名権なども低い価格で売買されているのが実情だ。そのため、チェイス・センターのように、スポンサーにとってスポーツ関連以外の事業上の付加価値を訴求することが重要と言える。

コンサドーレ×ＥＺＯＣＡ

日本においては、サツドラホールディングス（札幌にあるＡＩ開発子会社を持つなど異色のドラッグストアチェーン）が進めるポイントプログラム「ＥＺＯＣＡ」と連携しているプロサッカークラブ、北海道コンサドーレ札幌の取り組みが面白い。

ＥＺＯＣＡは北海道において、Ｔポイントなど大手ポイントプログラムを上回る普及率を誇る地域ポイントプログラムである。そのＥＺＯＣＡがＪリーグチームである北海道コンサドーレ札幌と組んで「コンサドーレＥＺＯＣＡ」を発行した。このカードは、チームが勝つと提携店で使えるポイントが付与されるなどの特典があるが、ファンにとっての魅力はそれだけではない。自身が貯めたポイントを提携店で使うと、その一部が次世代の地元選手育成プログラムに還元される仕組みになっている。現在の還元額は約２００万円だ。地域のファンと地域経済を組み合わせた好例となっている。

eスポーツ

最後に、このところ非常に注目されているeスポーツについても言及しておきたい。福岡市で２０１９年２月に開催された国際的ゲーム大会の日本版「ＥＶＯジャパン２０１９」には、参加選手および来場者合わせて３日間で延べ１万３０００人が訪れた（翌年のＥＶＯジャパン２０２０は、3万１０００人に急増）。福岡アジア都市研究所の試算によると、経済波及効果は11億７０００万円に及ぶという。eスポーツは通信環境と観客を収容できる会場さえ整えられれば、地域・場所をあまり選ばず開催できる。

eスポーツは通常のスポーツと異なり、新たな人気ゲームが登場するたびに、一気に競技人口が世界に広がる。この早い変化を捉え、世界中の地域が手を上げる前に大会を誘致することで、このイベントが地域経済の着火剤となる可能性がある。

ここまで、日本の抱える少子高齢化や一極集中の人口動態といった課題解決の糸口となりうる「突破口」の可能性について述べてきた。「地方への関心の高まり」「雇用に関する意識の変化」「サーキュラー・エコノミーへの関心の高まり」「スポーツを通じた地域コミュニティの形成」といった新たな価値観の台頭である。

こうした世の中の価値観の変化を見逃すことなく、素早く対策を考え、地方創生につながる具体的なアクションに結びつけることが今後、非常に重要になってくる。次章では、こうして見えてきた一筋の光明を、具体的な活動に落としこみ、価値あるものに変えていくための強力なイネーブラーとなる最新テクノロジーの動向について述べていきたい。

第5章

地方創生を後押しする最新テクノロジー

「AI」「IoT」「xR」
「ブロックチェーン」「5G」

私は長年ＩＴやテクノロジーに関係する仕事に従事してきたが、それでもここ数年のテクノロジーの進化や実用化までのスピードの速さには、目を見張るものがあると感じる。また、デジタルテクノロジーについてはオープン化が進み、誰でも気軽に利用できる環境が随分と整ってきたとも思う。

テクノロジーの活用は、地方創生を考えるうえで、もはや必須要素だ。地方創生に本気で取り組む人は、強いパッションや、やり遂げる胆力、周りを巻き込みながらコラボレーションする力などに加えて、最低限のテクノロジー知識、あるいはテクノロジーに対する高い感度が求められる。

一口にテクノロジーといっても、デジタルテクノロジーからバイオテクノロジー、物理的テクノロジーと、対象範囲は広い。この章では主に、地方創生に関してヒントになりそうなテクノロジー要素をいくつかピックアップし、国内外における事例と合わせて解説していきたい。

また、イメージが湧きやすいようテクノロジーの要素ごとに事例を説明しているが、実際には複数のテクノロジー要素を組み合わせてソリューションを構築している。例えば、ＡＩの事例として紹介してあるからといって、ＡＩ技術だけでソリューションが構築されているわけではないことをあらかじめ断っておく。

1 ＡＩ（人工知能）

ＡＩというキーワードが世の中を席巻し、ブームになって久しい。ガートナー社が発表した日本における各テクノロジーの成熟度、採用度、適用度などをまとめた『日本におけるテクノロジのハイプ・サイクル：２０１９年』によると、ＡＩはようやく「過度な期待のピーク」を脱した。今後は、より地に足のついた実用化や採用のフェーズに向かうことが予想されている。

さて、ＡＩについて口にする人は多いが、その定義は様々だ。実際、ＡＩに関する明確な定義は現在なく、専門家の間でもそれぞれ異なる定義をしている。そのため、ここではＡＩの定義や、「そもそも人間の知能とは？」といった禅問答を掘り下げていくことはしない。あえてざっくりとＡＩとは何かと言えば、「コンピューターが人間の知能を表現する試み」だ。例えば、膨大なデータからその特徴や法則性を見いだし、状況判断や将来予測を行ったり、機械自身が試行錯誤しながら最適なオペレーションを見つけだす試みが進んでいる。重要なのは、ＡＩの技術を活用して実際にどのようなことが実現できるようになっているかだ。事例を通じて見ていこう。

人に代わってイチゴを収穫するロボット

ＡＩの専門家に話を聞くと、ＡＩがここ数年飛躍的に進化した理由の一つが、センシング技術の発達である。これによってＡＩは、いわば目を持ち、これまで以上に様々な画像・映像データを、イメージセンサーなどを通じて取得し、処理できるようになった。こうした技術を活用して、例えば、米国で２０１３年に創業したハーベスト・ＣＲＯＯ・ロボティクスでは、人に代わってイチゴを収穫するロボットを開発している。

イチゴ狩りのイメージもあってか、イチゴというとハウス栽培を思い浮かべる人が多いが、米国で栽培されるイチゴの多くは路地栽培だ。柔らかくて小さなイチゴの実は採取が難しく、小さな子どもがイチゴをとろうとすると、強く握ってつぶしてしまったり、まだ完全に赤くなっていないイチゴを採ってしまったりする。そのため、従来、採取作業を担ってきたのは大人の労働者だった。しかし近年米国では、移民規制などの影響もあって季節労働者が減り、さらに労働コストも上昇している。また、イチゴ採取は過酷な労働としても知られている。広大なイチゴ畑の中で、地面近くまでしゃがみ、熟して赤くなった実だけを採取する作業を毎日繰り返すので、腰痛などの健康被害を訴える人も多いと聞く。

そうした重労働を代替してくれるのが、同社のロボット「ベリー５」である。フロリダ州ウィッシュファームで行われた実証実験で、このロボットは人間同様、センサーによって熟した赤い実だけを識別し、つぶすことなくそっと採取する。しかも、まだ成熟していない実や、葉や花を傷つけることなく採取できる。ハーベスト・CROO・ロボティクスのウェブサイトによると、このロボットを活用することで1日に8エーカー分の畑での収穫が可能で、人間にして30人分ほどの作業を代替できる。また、人間とは異なりロボットは1日20時間以上の稼働が可能で、暑くてイチゴが傷つきやすい日中を避け、早朝などの時間帯に収穫作業を行える。ハーベスト・CROO・ロボティクスは、将来的にはイチゴ以外の農作物の収穫ができるロボットも開発する意向であり、全米のイチゴ生産に関連する企業の実に3分の2が、同社に出資している。

より高濃度のトマトをAIで

イチゴ収穫ロボットは米国での事例だが、日本でもＡＩと農業を組み合わせる取り組みが始まっている。

静岡大学情報学部の峰野博史教授の研究室と、農産物の販売や企画を手がける Happy Quality は２０１９年2月、ＡＩの判断に基づく灌水（かんすい）制御によって、高糖度トマトを大量に安定的に生産することに成功した、と発表した。

家庭などでトマトを栽培している方はご存知かもしれないが、トマトは、栽培過程で適度な水分ストレス（植物から水が失われることにより起こるストレス）を与えることで、果実を高糖度にすることができる。しかし、従来は熟練農家の知見なくして実現できなかった。峰野氏の研究室では、植物の水分ストレスは、しおれ具合から推測可能と仮定し、低解像度の草姿画像や、温度、湿度、明るさといった比較的収集容易なデータを使用して、植物の茎の太さの変化量を高精度に予測し、その結果に基づいて適切に灌水を制御するＡＩの開発に成功した。さらに、地元企業と連携し、実際にＡＩによる灌水制御で中玉トマトを育てる実証実験を行ったところ、従来の日射比例による灌水制御を超える高糖度トマト（平均糖度8・87、最大16・9）を、農作業の負担を軽減しながら大量かつ安定的に生産することができた。静岡大学は、今後もＡＩやＩｏＴを活用した新たな農作物栽培手法を確立していきたいと、発表資料の中で述べている。

文部科学省が直轄している科学技術・学術研究所では、5年に一度「科学技術予測調査」というレポートを出している。このレポートは、国内外の多くの専門家に調査したうえで、テクノロジーの未来や実用化時期などを予測したものだ。２０１９年に出されたレポートの中では、人間を代替する農業ロボットの科学技術的実現時期は２０２６年であり、社会的実現時期は２０２９年と予測。また、農業の生産性、人手不足・担い手不足の解消を抜本的に改善するＡＩ、ＩｏＴ、ロボットなどの技術については、２０２９年に科学技術的実現時期を迎え、２０３１年に社会的に実現すると予測されている。

ＡＩによる土地活用型農業の生産性と収益性改善

穀物栽培など土地活用型農業において一番頭を悩ませるのは、土壌や天候などの変動要素を織り込みながら、より適切なタイミングで農作業を行うことだ。栽培環境自体が毎年変化するため、慣行農法（一般的な農法）では圃場（農作物を育てる場所）や生育状態の可視化・予測ができなければ、生産者の経験だけが頼みとなり、収穫高を上げることが年々難しくなる。

アクセンチュアでも、この課題に対するソリューションを提供している。

私たちが開発した農業向けクラウドサービスは、リモートセンシングにより圃場や生育状態をデジタルデータ化し、ＡＩを活用したモデルにより、営農活動を最適化する各種予測を行う。これによって収穫高や生産性を高め、営農コストを削減することで生産者の収益性改善が可能だ。このサービスはすでにオーストラリア、インド、ブラジル、アメリカ、日本などでスタートしている。収穫量の5～20％増、生産性と営農コストの5～15％削減など収益性改善に貢献することが期待されている。

このサービスでは、圃場センサーや気象センサーを設置し、圃場の状態を可視化する。水位や水温の異常、灌漑設備の故障などを検知するほか、天候や湿度から病害虫の発生を予知する。また、ドローンや衛星での空撮により、生育不良の状態や箇所（2・5㎡単位）を把握し、肥料や農薬の早期散布、局所散布により平均収穫量を上げるとともに、散布に関わる農業資材費や人件費を低減する。また、センサーデータと空撮による画像データを統合活用することで、収穫時期や収穫量を予測する。収穫計画を精緻化できれば、コンバインや乾燥設備の稼働率の向上、収穫作業での精度の高い要員計画の立案とそれによる人件費低減を実現できる。

農業のクラウドサービスでは、生産者の協力に加えて、研究者（農業、センシングなど）、農機メーカー、センサーメーカー、ドローンメーカー、情報統合基盤などシステム構築企業、AIを含むデータ分析とモデル構築企業など、異業種からの強みを持った専門家が協働したエコシステム組成が鍵となる。

最小燃料コストで漁場へ

漁業での事例も見てみよう。

農林水産分野の最新研究成果を紹介した『アフ・ラボ2014年3月号（農林水産省のウ

エブサイトで閲覧可能)』によると、燃油価格の動向によっても大きく変わるが、漁船漁業にかかるコストの2割近くを燃料費が占めている。そのため、燃料コスト削減は、漁業の収益性を高める。また、魚がよく獲れる漁場を特定する際、現状では熟練した漁師の勘と経験に頼っていることが多いが、他の一次産業と同様、そうしたノウハウを持つ漁業従事者の多くが高齢化し、後継者不足で悩まされているのが実情だ。

そこで、AIの出番となる。燃料消費の最適化、最良の漁場の特定といった、最適化・最適解の発見にAIは非常に有効だ。例えば、アクセンチュアでは燃料消費の最適化に関して、天候や過去の操業状態と燃料消費などの関係を分析して、最適な航路、操縦を提案する仕組みを開発、導入したことがある。また、魚がよく獲れる漁場の選定を含む漁業の最適化、生産性向上については、長崎県佐世保市で船舶用航海機器の保守整備を手がける佐世保航海測器社の子会社、オーシャンソリューションテクノロジー(https://www.ocean5.co.jp/)が面白い仕組みを構築しているので紹介したい。

同社は、AIを活用した漁業の生産性向上システムの実証を続けている。「トリトンの矛(ほこ)」と呼ばれるアプリを開発し、漁師に提供しているのだ。そしてベテラン漁師が記した過去の操業日誌や海洋気象情報などのデータを学習・解析し、最適な漁場を提示する。これを使えば、ベテラン漁師の経験や技術、知識を若手漁師にスムーズに技術継承させることができる。

また、同社では、過去の操業日誌は漁師にとって先代から受け継ぐ宝であり、歴史そのものであるとの考えで、すべてのデータを漁業者ごとに管理・提供し、他社（者）との共有はしない。当然データを共有し合えば、ＡＩがより多くのデータを解析できるのでその分精度は上がるが、あくまで地元の漁師の考え方や気持ちに寄り添ったシステムを開発している。

また、同社の目的は漁業の生産性向上だけにとどまらない。将来的には、市場において魚種別のリアルタイム需要などに関する情報もアプリで提供し、需要に合わせた供給バランスを提案することを目指している。そうなれば、魚価の下落を防ぎ、無駄のない漁業を実現できる。

移住の相談相手はＡＩ？

地方自治体の中にも、地方創生にＡＩを活用する実例が出始めている。

自治体のＡＩ活用で比較的ハードルの低いものの一つとしては、ＡＩチャットボットの導入がある。チャットボットといっても、自治体職員向け、地元企業向け、市民サービス向けなど様々な用途が考えられるが、一例として、キャメルの提供するサービスと導入事例を見てみよう。

同社は、移住・定住者の不安や疑問を解決するためのＡＩチャットボットの「移住・定住Ｅｄｉａ（エディア）」を提供している。このチャットボットは、忙しい自治体職員に代わって24時間３６５日問い合わせに対応する。英語や中国語、韓国語など日本語以外にも対応しており、外国人からの移住相談にも応えることができる。また、問い合わせ内容のログを貯めて人々のニーズがどこにあるのかを分析し、より最適なコミュニケーションを設計することができる。

このソリューションを実際に導入しているのが、岡山県和気町である。ＪＲ岡山駅から電車で30分の場所で、人口１万５０００人弱、５０００世帯超が暮らしている小さな町だ。和気町では、このＥｄｉａを活用して、「わけまろくん」というＡＩチャットボットを開発し、運用している。和気町のホームページかＬＩＮＥから、誰でもわけまろくんとチャットできるので、興味のある方は検索してみてほしい。

著者がウェブサイト上から、わけまろくんの部屋を訪問してみると、「和気町のことで知りたいことがあれば何でも聞いて下さい！」というセリフとともに、

1　和気町について

図5-1：AIボットが移住をサポート

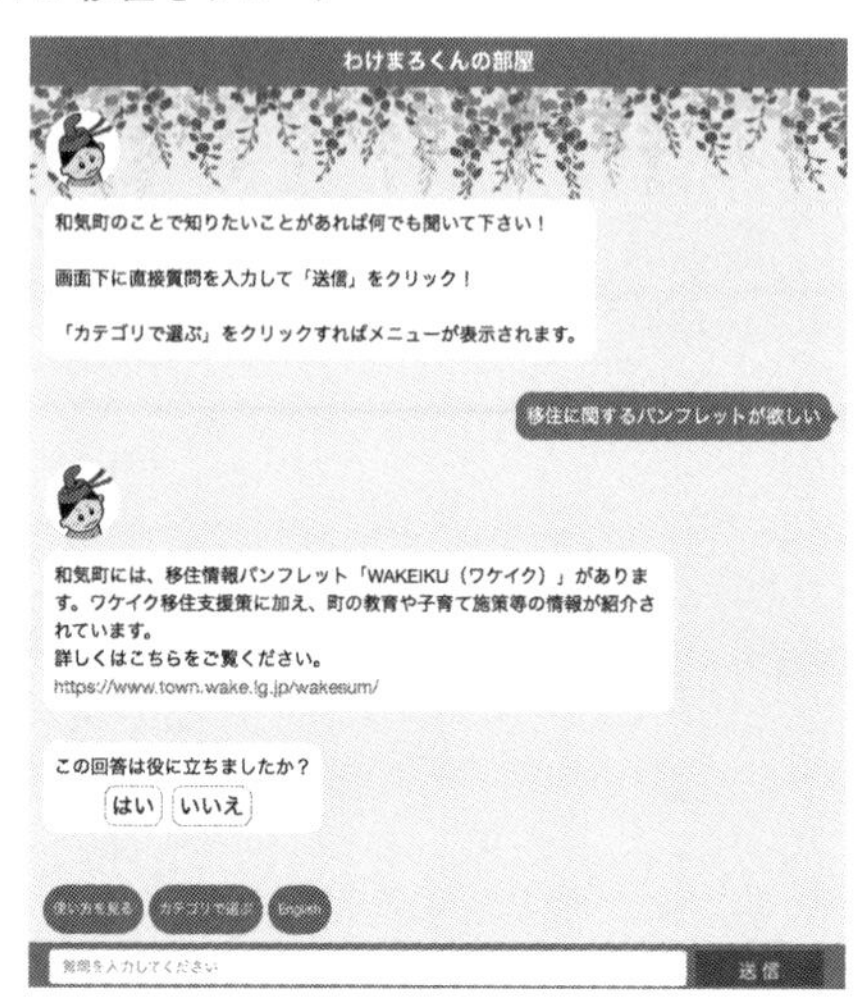

「移住に関するパンフレットが欲しい」とチャットすると「わけまろくん」が答える

〈出典〉「わけまろくんの部屋」（https://waketown-wake-okayama-jp.com/webchat/）

2　わけまろくんについて

3　移住定住について

という3つの質問カテゴリーが表示された。訪問者はこのカテゴリーをたどって聞きたい問いに対する答えを得ることもできるし、AIならではの自然言語処理機能と対話機能によって、質問を直接テキストベースで入力して会話することもできる。

試しに、「移住に関するパンフレットが欲しい」と入力してみた。わけまろくんの答えは次の通り。

「和気町には、移住情報パンフレット『WAKEIKU（ワケイク）』があります。ワケイク移住支援策に加え、町の教育や子育て施策等の情報が紹介されています。

詳しくはこちらをご覧ください。https://www.town.wake.lg.jp/wakesum/」

次に、少々意地悪く、「移住者の失敗談を聞きたい」と質問すると、「すみません、勉強不足でその質問にはまだお答えできません」と返答があった。うまく答えられないこともあるようだが、今後、訪問者とのやり取りが増え、データが蓄積されていけば、わけまろくんもその分学習して、適切に回答できる割合が徐々に増えていくと予想される。

米国で活用が進むiバイヤー

深刻化する空き家問題に対しても、ＡＩなどのテクノロジーを活用していく余地はありそうだ。

空き家問題の深刻度については第1章で述べた通りで、まさに喫緊の課題。すでに国レベルでも、中古物件市場の活性化や増加する空き家の利用をなんとか促進しようと、様々な対策が講じられている。

例えば、国土交通省では空き家とそれを利用したい人のマッチングを促進するため、「全国版空き家・空き地バンク」という事業を民間に委託した。国土交通省によると、

2019年2月時点でこのサービスに全国603自治体が参加し、延べ9000件超の空き家情報が掲載され、成約物件数は累計1900件を超えているという。

こうした国の方向性と足並みを揃えつつ、中古物件の流通を促進させる新たなビジネスモデルとして注目されているものがある。AIを駆使した不動産取引の仕組み、iバイヤー（iBuyer）だ。

iバイヤーのビジネスモデルはいたってシンプル。まず、不動産オーナーから査定申込のリクエストを受ける。そして、過去のデータ（過去の対象エリアの取引記録、類似物件の相場など）や未来のシミュレーション予測（人口動態や経済動向）などを組み込んだアルゴリズムを使って、AIがものの数秒で対象物件の査定を完了。その後、査定価格で合意が得られれば、iバイヤーが物件をオーナーから直接買い取り、それを欲しい人に転売していく。

こうした方法で、不動産の価格査定から売却まで最短2日間で終わるというから驚きだ。これは、不動産売買を経験したことのある方にとっては、にわかに信じがたい短日数だろう。一般の売買の仲介と異なり、iバイヤーは物件を買い取らなくてはならないため、売れ残りのリスクを背負う。このリスクを買取時の価格調整の中で軽減させる必要があるため、通常の仲介売買と比べると、買収価格は多少安めに設定されがちなようだ。しかし、最短2日間という素早さで物件を売ることができれば、中古物件の流通は活性化し、結果として空き家の減少につながるのではないか。iバイヤーのサービスはすでに米国では不動産テックの代表格として盛り上がってきている。

日本でも、2018年に不動産売買・再販のすむたすが、国内初となるiバイヤー事業を始めた。2019年末時点では、事業エリアは東京都と神奈川県に限られているが、ゆくゆくはサービスエリアを広げていきたいという。同社の創業者である角高広氏は、将来的には少子高齢化や人口減少の著しい地方において、地方公共団体と連携して町のグランドデザインを描くなど、ビジネスを通じた改善の支援がしたいとメディアに語っている。

ここまで数ページにわたってAIについて述べてきたが、最新テクノロジーの一つであるAIは、第一次産業や人手不足を抱える地方自治体など、地方に関する領域でも活用されている。AIに対して取っつきにくいと感じている人も多いが、地域活性化のために必要不可欠なツールであることをあらためて認識してほしい。

2 IoT(モノのインターネット)

AI同様、ガートナー社のハイプ・サイクル2019において「過度な期待のピーク」を脱しているのがIoTだ。IoTとは、文字通り、モノ(物)がインターネットに接続され、ネット経由で互いに通信し合うことで、自動制御、自動認識、遠隔操作などが実現できる状態を指す。流行語となって数年たつが、これからは一層地に足のついたソリューションの導入、定着化が進んでいくと期待されている。

ＩｏＴで鯖が復活？

産経新聞２０１８年5月20日の記事によれば、福井県小浜市は２０１８年からＩｏＴを活用した鯖(さば)の養殖事業を始めた。

かつて小浜市は、鯖街道の起点として京都に多くの鯖を届けていた。冷凍技術のなかった時代、京都に届けるまでの間に悪くならないように塩でしめられた鯖は美味で、京都の人々に重宝された。しかし、近年では鯖の漁獲量が減少し、鯖加工品においてもノルウェー産の鯖を使わざるを得ない状況に陥ってしまった。そこで、地元産の鯖を復活させようと、鯖復活プロジェクトを立ち上げたわけである。

養殖鯖の安定した供給、技術の伝承などを目的として、小浜市と福井県立大、ＫＤＤＩの産学官が連携してプロジェクトを推進している。

それまで鯖の養殖では、手作業で水温を測り、餌の量を決めていた。しかし、そのやり方では作業者の業務負荷が大きく、また勘と経験に依存しがちだった。そこで、いけすに

1時間に1回測定可能な装置を設置し、水温と酸素濃度、塩分濃度をサーバーに送信するようにした。そして、漁師が餌の量や時間、場所などを情報端末に入力し、水温に合った餌の量、餌を止めるタイミングなどをデータ化し、関係者で情報を共有した。

プロジェクトはその後も発展を続け、小浜市と福井県立大、KDDIの3社は2018年12月に、今度はIoTから得られた情報をさらに高いレベルで活かすべく、AIを活用していくことを発表した。蓄積された海面環境と餌やりのデータなどをAIで分析し、鯖の生育との相関関係を導き出して新たな養殖マニュアルを整備していくという。AI活用に向けた発表会見の中で小浜市長の松崎晃治氏は、「鯖養殖を市全体の活性化につなげる」と意気込みを語った。

IoTで灯油難民をなくす

総務省では、地域課題の解決や地域活性化のためにICT（情報通信技術）を利用している事例を広く募集し、表彰している。その「ICT地域活性化大賞2019」で見事に大賞をとった取り組みの一つが、北海道新篠津（しんしのつ）村における「IoTを活用した農山漁村の灯油難民防止」の事例だ。

新篠津村は、札幌から車で1時間程度、石狩振興局管内の北東部に位置する人口

3000人ほどの小さな村である。農業を主な産業としており、米、小麦、豆類、野菜などを栽培して全国に出荷している田園地帯だが、特別豪雪地帯に指定されており、冬にはかなりの大雪に見舞われる。こうした寒冷地では「灯油配送」が最も重要なライフラインの一つだ。しかし、新篠津村では、人口減少・過疎化が進んだことにより、採算性悪化や灯油配達員の人手不足が生じ、将来的に「灯油難民」とも言うべきエネルギー弱者が生まれる懸念があった。

そこで新篠津村は、灯油配送業者やIoT関連企業らと連携し、低コストのスマートセンサーと通信サービスを使った効率的な灯油配送システムの地域実証実験を行い、大きな成果を得ることができた。実証実験では、154日間、153戸のうち83戸にセンサーを設置することで、

・給油回数を約20％削減（858回→684回）

・配送日数を約36％削減（96日→61日）

という具体的な成果が得られた。

また、システム導入費を1台・年当たり3000円、配送スタッフ人件費を1日当たり1万3000円として、実証期間（154日間）における費用対効果を試算してみると、約33万円のプラス効果となった。導入戸数が増えればその分だけ費用対効果も上がり、より

大きなメリットが得られる。実証実験終了後、このプロジェクト全体のシステム管理を行ったベンチャー企業のゼロスペック社は、プレサービスを開始した。

一般的にIoTは、製造業の工場や物流を中心に利用されているイメージが強いと思うが、このようにIoTもAIと同様、第一次産業や地方自治体などで導入されているテクノロジーなのだ。

3 xRで登場する新たな世界

さて、AI、IoTに続けて紹介したいのがxR（エックスアール）と呼ばれるテクノロジーだ。

xRとは、AR（拡張現実）、VR（仮想現実）、MR（複合現実）などの技術の総称。現実空間に情報を重ねて認識させたり、仮想空間上に実在感を構築したり、現実・仮想空間を混合したうえで実在感を構築する技術だ。身近な例では、2016年にリリースされたポケモンGOがある。スマホ1台あれば誰でも楽しめるAR技術を使ったゲームであり、プレイヤーはポケモントレーナーとなって現実世界を歩いて探索し、ポケモンを捕獲・育成・バトル・交換する。VRやMRの場合は、一般的に専用のヘッドマウントディスプレイやゴーグルを装着することが必要で、こうしたデバイスを通じて仮想現実や仮想現実と現実世界の融合を体験することが多い。

xR技術は、初期の頃はゲームやエンターテインメント用のテクノロジーという印象があった。しかし、ゲームに限らず、日常のあらゆる場面で当たり前のように普及していけば、スマホの登場で私たちの生活が一変したときに近い大きなインパクトをもたらしうると考える。

バーチャル世界で勤務する人々

米国で不動産業を営む eXp Realty は、創業以来、右肩上がりで成長している。しかし、同社は不動産業を営む身でありながら、自社オフィスを一つも持っていないという不思議な会社でもある。

それは一体どういうことか。

ニュースサイト「シンギュラリティ・ハブ」に掲載された取材記事によると、彼らは、オンライン上のバーチャルワールドを活用してビジネスを展開する。全従業員のみならず、請負業者や何千とある不動産のエージェントたちは、バーチャルリアリティ上の世界に出社し、会議を行い、社内トレーニングに参加しているという。

メディアからの取材依頼に対しても同様に、バーチャルリアリティ上で対応している。

記事を作成した記者は、取材に当たって、まず同社の従業員が使用しているものと同じ、VirBELAというカリフォルニアの企業が開発したシステムをPCにダウンロードした。ここで自分のアバターをつくって、バーチャルリアリティ上にいるCTOのアバターに取材のために会いにいった。記者は、「電話取材に比べると、アバターを通じてであっても会いにいけたことで、取材対象であるCTOと同一の場所にいる感覚を強く持つことができた」と書いている。

eXp Realityが導入しているシステムでは、従業員は高価なVRヘッドセットをほとんど使用せず、PC1台を介した2次元のバーチャルリアリティを自分たちの職場としている。リアル世界で通勤しないことのメリットとして、単に従業員の通勤負荷が減ったり、場所に関係なく働けるようになったというだけではなく、CO_2の削減にもつながった。こうしたやり方でビジネスすることで、事業に支障が出ないのか気になる方もいるだろう。普通のやり方で運営していた場合との比較は残念ながら困難だが、一つ確実に言えることは、先述の通り、この企業の成長率は非常に高く、客観的に見ても事業は順調であるということだ。むしろ、記事中のCTOの言葉を借りると、「バーチャルであるからこそ、ここまで成長できた。物理的な拠点を持っていたら、ここまで大きく成長できなかっただろう」。

専門知識を持たない作業者が即戦力に

ｘＲの活用は、製造業などの現場仕事においても、人手不足・スキル不足の軽減に役立つ。熟練した作業者が高齢化していく中、外国人労働者や専門知識を持たないワーカーをいかに即戦力として活用していけばいいのか――。

こうした問いに答えるべく、東京都港区にあるアクセンチュアのイノベーション・ハブ・東京では、ＭＲを活用したフィールドワークソリューションのデモを提示している。

このソリューションでは、作業者は特殊なグラスをつけて現場に入る。そして、そのグラスを通じて現場を見ると、現実世界の上に、作業指示やマニュアルビデオなどが重ねて見えるようになっている。作業者はこうした作業の手助けとなる関連情報を、作業しながらその場でリアルタイムに確認することで、正確かつ効率的に作業を遂行することが可能だ。必要に応じてベテランの作業員が自宅や遠隔地からリモートで追加指示をしたり、作業支援をしたりすることもできる。ｘＲは高齢化する地方の中小企業の匠の技を、高齢のベテラン技術者に負担の少ない形で現場に伝承させる新たな手段として活用が期待される。

従来のｘＲ技術は、主に人間の五感のうち視覚や聴覚に訴えかけるものが多かった。しかし、最近では、より多くの感覚器に訴える仕組みが開発されている。例えば、元ソニーの川口健太郎氏が設立したベンチャー、VAQSOでは、VR体験に匂いや味覚を加えるデバイスを開発。五感に幅広く遡及することで、よりリアリティの高い体験を実現しようとしている。地方部や都心部という言葉は、場所を意味する言葉だが、xR技術のような場所への依存を薄める技術が実用化したときにどんな変化が起こるか、どのようなイノベーションが実現できるのか。ますます注目していくべきテクノロジーだ。

4／5G

xR技術とも親和性が高く、地方創生に活用が期待される技術の一つである5Gについても触れておきたい。5Gとは、第5世代移動通信システムの略である。LTEと呼ばれる2010年代に始まった4Gの次のモバイル通信規格だ。5Gの実用化に伴い、これをxRなど他のテクノロジーと組み合わせて活用することで、実現できることの幅が格段に膨らんでいく。

まずは基本的な情報として、5Gの持つ3つの特徴について整理しておこう。

・**高速化**――現在より、約100倍速いブロードバンドサービスを提供可能。例えば、

2時間の映画をたった3秒でダウンロードできる。

・**多数同時接続**――スマホやPCなど、あらゆる端末に同時接続が可能。情報通信研究機構が2018年3月に行った実証試験では、端末約2万台の同時接続が可能なことが確認された。

・**超低遅延**――通信ネットワークにおける遅延、タイムラグを極めて少なく抑えられる。通信の安定性が増すことによって、自動運転や遠隔医療などセンシティブな領域での活用が可能になる。

2020年3月、国内の各通信事業者が5Gの商用サービスを開始した。4Gまでの移動通信システムとは異なり、5Gは一般利用のみならずIoTなどを中心としたビジネス利用におけるソリューションが重要だ。そのため、スマートシティや地方創生推進のためにいかに5Gを利活用できるかが、日本が5G先進国となる鍵となるだろう。そして、5Gに対する期待は非常に高く、すでに国内外の各地で実証的な取り組みが始まっている。

また、既存のサービスの中には、5G導入によりさらに大きな飛躍的進化を遂げそうなものがいくつもある。

リモートコントロールによる手術

5Gの特徴の中で述べた通り、自動運転や遠隔医療など、非常にセンシティブで高いレベルでの通信の安定が求められる領域では、5Gに寄せられる期待も高い。

中国の日刊新聞である光明日報（2019年1月14日）の記事によれば、中国では、世界初となる5Gを活用した豚の遠隔外科手術に成功した。手術は、福建省福州市にある病院内で行われた。執刀医は北京301病院から来ている肝胆・膵臓腫瘍外科主任の劉栄氏であり、患者である豚は劉栄氏のいる場所から離れた、福建医科大学孟超肝胆病院にいた。劉栄氏はロボットの前に座り、リアルタイムで送られてくる映像を見ながらロボットアームを動かして鉗子と電気メスを遠隔操作し、遠く離れた豚の肝小葉を切除した。手術は1時間近く続いたが、切創面は滑らかで、出血量が極めて少なかったという。豚は術後30分で麻酔から徐々に目を覚まし、その後の容体は安定。手術は成功裏に終了した。福建医科大学孟超肝胆病院の劉景豊院長は、「今回の手術の成功は、5G技術を遠隔操作医療で完全に利用できることを意味する」と語った。

また、同年6月、今度は人間に対して、北京市にある積水潭病院でも遠隔操作システム

図5-2：遠隔医療の4つのパターン

名称	遠隔病理診断（テレパソロジー）	遠隔画像診断（テレラジオロジー）
概要	体組織の画像や顕微鏡の映像を送受信するなどし、遠隔地の医師が、特に手術中にリアルタイムに遠隔診断を行う	X線写真やMRI画像など、放射線科で使用される画像を通信で伝送し、遠隔地の専門医が診断を行う
効果	リアルタイムで手術範囲の決定など専門医の判断を仰ぐことができる	専門医による高度で専門的な診断が受けられる

名称	遠隔相談（テレコンサルテーション）	在宅医療（テレケア）
概要	画像を見ながら遠隔地の医師との症例検討を行うなど、医師などに指導を行う。また、在宅の患者とのコミュニケーションを図る	情報通信端末で測定した生態情報（体温、血圧、脈拍、尿糖値など）やテレビ電話などを通じ患者の映像・音声などを遠隔地の医師へネットワークを通じ送信し、医師に対し有用な情報を提供
効果	医療の地域間格差の解消、患者やその保護者などの安心感向上につながる	交通インフラが不十分であったり、高齢化・過疎のため受診が困難な慢性期疾患患者に対する医療の提供が可能となる

〈出典〉厚生労働省「医療分野の情報化の推進について　遠隔医療について」から作成

制御プラットフォームを使って、離れた2カ所の病院（浙江省嘉興市第二病院と山東省煙台市煙台山病院）と同時に連結し、世界初となる整形外科手術ロボットマルチセンター5G遠隔操作手術を行い成功したと、北京日報が報じている。一人の医師が離れた二つの場所にいる複数の患者の手術を指導し、やってのけたのだ。

手術という命に関わる作業を遠隔で行う際に必要なワイヤレス通信の高いレベルでの遅延最小化、信頼性・安全性などへの要求に、5Gの通信環境は見事に応えられることが証明されたというわけだ。

厚生労働省では、遠隔医療を医療の質向上・患者の利便性向上・離島やへき地などにおける医療の地域差の是正など、地域医療の充実の観点から重要テーマと位置づけ、助成、補助、評価、研修などの取り組みを行っている。遠隔医療の中には、リモートでの診断、診察なども含まれるが、中国で実施された遠隔手術は遠隔医療の中でも先進性が高く、日本においては法制度を含めてこれからという部分が多い。しかし、コロナを機にオンライン診療が認められたことは、一つの大きな進歩ではないだろうか。今後さらに遠隔医療が広まっていけば、地域病院や在宅医療のあり方も変わっていくと思われる。

世界最高峰の教育を、どこからでも受けられる

地方部から都心部への人口移動に関連する話として、大学進学のタイミングで地方から大都市に引っ越す人は多い。

実際、文部科学省「学校基本統計」によると、大学進学者の約半数が他県に進学しており、2017年度の調査では、全47都道府県のうち37都道府県で流出超過の状況にある。流入超過となっているのは、東京都、京都府、大阪府、神奈川県など、有名大学のある大都市圏を中心とした10都府県のみだ。

しかし、仮に、特定の場所にとらわれずに教育を受けられる環境が実現できたとしたらどうだろうか。しかも、最低限必要とされるレベルでの教育ではなく、むしろオンライン

授業ならではの利点を生かし、生徒それぞれの学習状況に寄り添い、生徒の自発性を引き出すような一流の教育が受けられるとしたら。すでに国内外において、リモートでありながら一流の教育を提供しようという取り組みが始まっている。

例えば、米国で2014年9月に設立されたミネルヴァ大学の例を見てみよう。ミネルヴァ大学は「高等教育の再創造」を掲げて創立された4年制の総合私立大学である。同大学は、特定のキャンパスを持っていない。従来の座学授業による知識詰め込み型教育ではなく、講義はすべてオンライン形式のアクティブラーニングによって実施されている。学生は4年間で、サンフランシスコ、ソウル、ハイデラバード、ベルリン、ブエノスアイレス、ロンドンの7都市に移り住む。オンライン講義と合わせて各国の現場課題を検討することで、より深い学びを得られるのだ。

オンライン形式ならではのデータ活用によって、教育の質を上げる取り組みも行われている。講師の手元にあるモニターには、生徒個人の表情や作業状況が映し出されており、これによって、やる気や理解度を把握する。生徒の発言時間も自動的に計測され、グラフ化されるため、発言量のバランスを見ながら授業を進行することもできる。

ミネルヴァ大学の授業料は年間1万ドルほど。マサチューセッツ工科大学やハーバード大学、スタンフォード大学など、米国の有名大学と比べると3分の1程度である。学費を下げながら、Thinking Critically（批判的に考える）、Thinking Creatively（創造豊かに考える）、Communicating Effectively（円滑なコミュニケーション）という3つのコアスキルをバランスよく使いこなす人材の育成に尽力しており、世界の名門大学の合格を辞退して進学する学生がいることでも注目されている。毎年世界中から2万人以上が受験するが、合格率はわずか2％未満だ。

日本でも、ドワンゴとKADOKAWAが2016年にN高等学校を設立して話題になった。年5回のスクーリング以外はすべての授業・部活動をインターネット上で行う通信制高校である。授業料は年間6万8700円で、2019年7月時点で約1万人が在籍する。卒業率は98・3％と高く、N高等学校のホームページに掲載されている大学合格実績を見ると難関大学への進学実績もある。

N高等学校には、各業界のプロが教える将来へつながる課外授業がある。ドワンゴのトップエンジニアが教えるプログラミング授業や、人気ゲームクリエイターが教えるエンターテインメントを創る授業、海外大学との国際教育プログラムなどだ。また、自治体や企業などの協力のもと、職業体験にも積極的に取り組んでおり、メルカリやクックパッドでエンジニアインターンを経験した生徒もいるという。

通信制高校でありながら、生徒同士や先生と生徒の交流を深める工夫もされている。例えば、学校行事の一つとしてドラゴンクエストXを用いたネット遠足がある。実際の遠足のように、ドラクエ内のバーチャルな世界で集合時間に集まり、N高の先生が引率する形でみんなと一緒に旅に出発する。

N高は、2020年4月には、札幌・池袋・神戸・広島に新キャンパスが、横浜・名古屋には2キャンパス目ができて、全国19キャンパスにまで拡大する予定だ。

インターネットを軸にした通信制高校としては、堀江貴文氏が2018年10月に設立したゼロ高等学院もある。こちらも、時間割は生徒自身が決定でき、ススムバと呼ばれる様々な業界の第一線で活躍するプロに弟子入りをする機会が与えられる。ゼロ高は、「自立」と「社会との学びの場」をコンセプトとした教育を謳っており、学費は3年間で156万円（ゼロ高等学院ホームページ「費用について」2020年2月時点）となっている。

これらの事例は、現時点では4G以前のオンライン環境下ではあるものの、それぞれ、リモート教育ならではの様々な特色を打ち出している。今後、5G環境が整えば、さらにユニークで質の高い教育が実現していくだろう。5Gを活用した実証的なレベルでの検証はすでに一部始まっている。NTTドコモは2019年1月に沖縄県那覇市に開設した「ドコモ5GオープンラボOKINAWA」で、三山時代の今帰仁城を再現した高精細な4KVRコンテンツを5Gを活用してVRヘッドマウントディスプレイやタブレットに配信。修学旅行で今帰仁城跡を訪れる学生などに、今帰仁城の歴史に関する直感的な学習体験を提供している（NTTドコモ九州支社のプレスリリース、2019年1月9日、「九州初『ドコモ5GオープンラボOKINAWA』を開設〜九州の企業・団体に無償で5Gの技術検証環境を提供〜」）。より精度とリアリティの高い世界がオンライン経由でも再現できるようになれば、ますます「特定のリアルな場」にとらわれない教育サービスの提供が可能になっていくだろう。

デジタルが市民の安全を見守る

安全・安心なまちづくりのための社会インフラシステムとして、デジタルテクノロジーを活用する自治体も出始めている。

兵庫県伊丹市は、カメラやビーコンを利用した安全・安心見守りネットワーク事業を開始した。1000台の「安全・安心見まもりカメラ」を設置し、このうち950台を、通学路を中心とした道路や公園、広場に取り付けた。犯罪の抑止効果を高め、事件・事故の早期解決を図るためだ。残り50台は、河川や中心市街地などに設置し、大雨等災害発生時の河川監視等の災害対策や、その検証に役立てているという。監視カメラの映像は、要請に応じて地元警察にも提供しているが、何も問題が起きなければ誰も見ることがないまま1週間程度経過後に削除されており、安全・安心とプライバシーの確保を両立させている。

また、ビーコンを利用した事業としては、市内にビーコン受信器を設置したうえで、児童や認知症の高齢者といった見守りを必要とする人にビーコン発信器を携帯させ、見守り対象者の通過地点を検出するシステムを構築した。また、行方不明、迷子など、万が一の際の遭難に協力してくれる市民向けに、行方不明者の位置情報を知らせるボランティア用アプリを提供したり、「さがしてメール」の配信も行っている。困ったときは市民が互いに助け合う仕組みを、テクノロジーを駆使して構築しているといえよう。

こうした町の安全・安心の仕組みにも、既存のオンライン環境に加えて5Gの環境が加わってくることで、より精度の高い仕組みの構築が可能となる。その一例として、羽田空港国際線ターミナル駅で行われた実証実験を見てみよう。

国際電気通信基礎技術研究所とKDDI、パナソニック、早稲田大学、京浜急行電鉄は2018年末、駅ホームにおける5Gを活用した安全・安心のための実証実験を成功させたと発表した（同研究所プレスリリース、2019年1月10日「国内初、駅ホームにおける『5G』を活用した安心・安全のための実証に成功」）。発表内容によれば、京急電鉄の羽田空港国際線ターミナル駅上り地下ホームに28GHz帯の実験エリアを構築し、5Gタブレットを使用して、次の実証を行った。

・駅ホームに設置した固定カメラと、駅ホームを見回りするロボットに搭載した4Kカメラの映像を5Gのデータ通信でモニターやVRゴーグルに送信。
・5Gで送信した4K映像をサーバーにて収集・分析することで、従来の2K映像では発見できなかった刃物の検知や、不審者に対する見回りロボットの駆けつけが可能になった。
・5Gタブレットを用いた同時翻訳や、4K画質による観光案内映像の配信。

5Gを活用することで、これまで実現が困難だった大容量データの伝送が可能となり、それによって、4Kの高精細映像をリアルタイムに伝送・収集・分析して早期に危険を検知することが可能になる。さらに、高精細映像による観光客への情報提供など、駅の安全・安心を大幅に向上させることが期待できる。

自宅にいながら、仲間とサイクリング

エンターテインメントの世界も、デジタルテクノロジーによって大きく変化してきている。以前、地方での生活の魅力について議論していた際に、「自然との触れ合いなど地方ならではの素晴らしい体験はあるものの、やはり最先端の文化的体験やエンターテインメ

ント体験は、大都会に行かないと十分にエンジョイできないのではないか」というコメントをいただいたことがある。確かに、国内外の有名演奏家のコンサートや、サーカス、ミュージカル、プロ野球やサッカー日本代表の試合観戦といったものは、大都市どころか、一部の洗練された施設でしか得ることのできない貴重な体験だ。しかし、一方で、必ずしも大都市や人の集まるところに行かなくても、類似の体験を味わえる技術が出始めているのも事実だ。その一例として、ズイフト（Zwift）が提供しているサービスを紹介しよう。

ズイフトは、リアル世界のフィットネスとバーチャル世界のゲームの要素を融合させたサイクリングゲームを提供しており、全世界で人気を集めている。自宅にいながら、ロンドン中心街のルート、2015年世界選手権コースとなったバージニア州リッチモンド、ワトピアと呼ばれるバーチャルワールドを、アバターを使って探検することができるのだ。

ズイフトでは、自分が普段使っている自転車をローラ台にセットしてサイクリングを楽しむ。センサー機能を使って坂の勾配や空気抵抗など細かい環境が負荷として反映されるため、実際の走行にかなり近い体感が得られるという。

そのほかにも、エリートコーチ陣によるトレーニングサービスを受けたり、世界中のサイクリストたちを相手に賞品のかかったレースに参戦したりすることも可能だ。2018年ツール・ド・フランスに出場した176人のプロ選手のうち、65人はズイフトユーザーであり、正式には公表されていないものの、登録アカウント数は100万人を超えるとされる。

こうしたリモートで行うエンターテインメント関連サービスも、5G技術の実用化やxR技術の進化に伴ってさらに多様な分野に展開され、臨場感あふれるハイクオリティの体験へと進化を遂げていくだろう。

5／分散型台帳技術／ブロックチェーン

次に紹介するのは、「分散型台帳技術／ブロックチェーン」だ。ビットコインなどの仮想通貨の中核を担っている技術としても知られている。ユーザー同士が分散して情報を管理し合うことで成り立っており、この技術を活用すれば、非中央集権的なシステムや個人間取引の仕組みを安価に構築することができる。

例えば、分散型台帳技術／ブロックチェーンの仕組みを使ってロシアのある農村で2017年に発行されたのが、コリオンという地域通貨である。KATEHON（2016年5月19日）の記事によれば、コリオンはモスクワから125km東南にあるコリオノボという農村で活用されている仮想通貨であり、2014年にその前身となるコリオン紙幣が発行されていた。発行者は、農業を営むミハイルさんという完全なる一個人。ミハイルさんは、銀行に融資を申請すると12％以上の利子を請求される現状の打破や、地域農民の自給自足や自立のために、コリオン紙幣を発行した。そして、1コリオンは「ジャガイモ10キロ」、2コリオンは「卵10個」と交換すると決めた。しかし、翌年の2015年、コリオン紙幣はロシアにおける唯一の合法通貨、ルーブルに対する脅威と見なされ、違法判決を受けてミハイル氏は逮捕されてしまった。だが、彼はその後も諦めず、2017年に仮想通貨として再度発効したのが、現在の地域通貨コリオンである。仮想通貨ブームもあり、一時は1コリオンが9ドルに高騰したが、その後は落ち着き、2019年末時点では0・05ドル前後で推移している。ミハイル氏は、コリオンによって片田舎にある農村の経済状況を変えようとしている。

日本でも地域通貨の事例はいくつかある。その一つが、岐阜県高山市、飛騨市、白川村限定の電子通貨「さるぼぼコイン」だ。

飛騨信用組合のホームページに掲載されている「電子地域通貨 さるぼぼコインのご案内」によれば、2017年に飛騨信用組合とソフトウェア会社のアイリッジが、スマートフォンアプリを用いた電子地域通貨「さるぼぼコイン」の実証実験を行い、同時にブロックチェーン技術の適用に向けた実証実験も実施した。「さるぼぼ」というのは、猿の赤ち

図5-3：さるぼぼコインのスキーム図

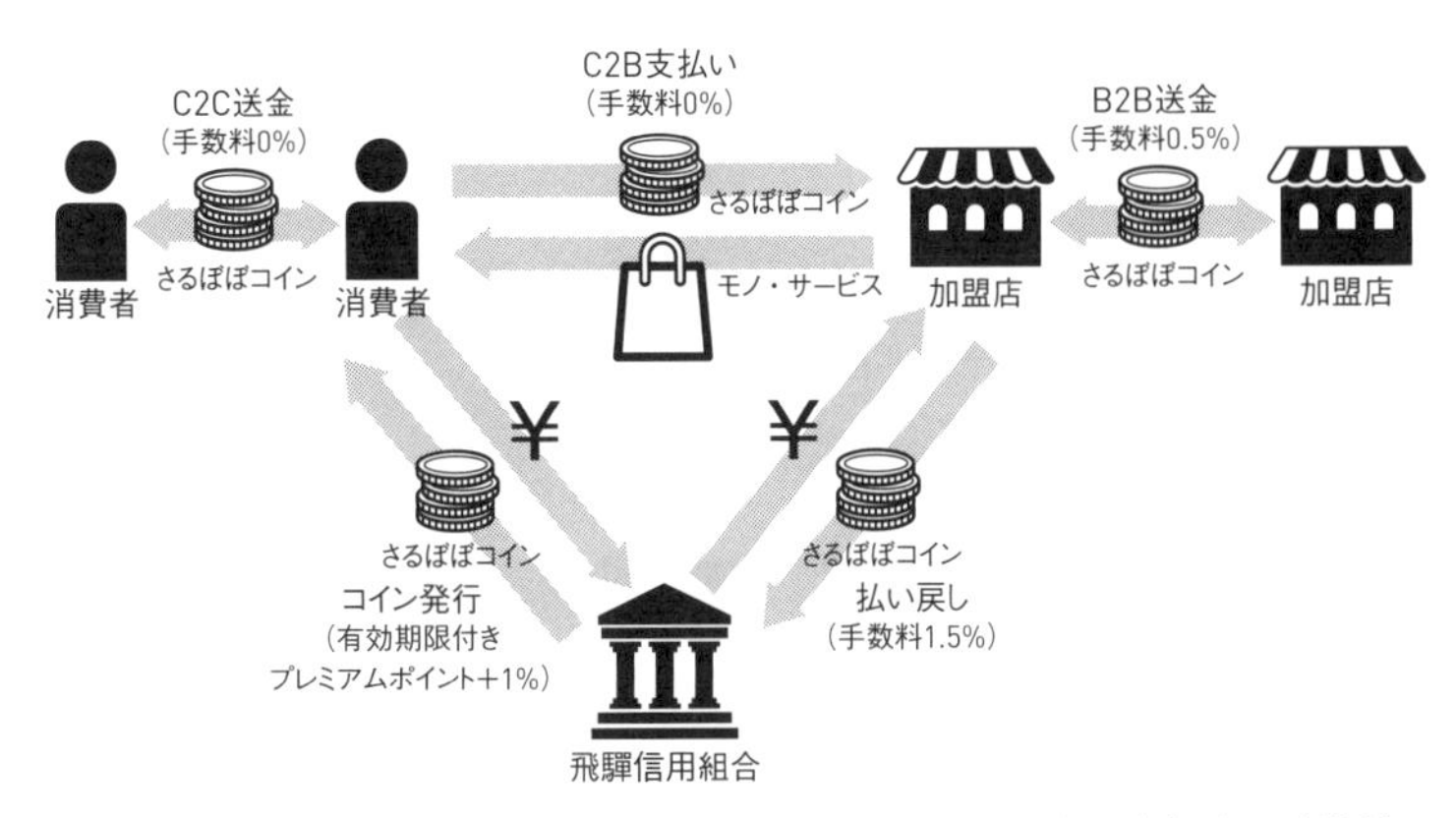

消費者はコイン発行時に1%のプレミアムポイントを得られ、送金・支払時の手数料は不要。飛騨信用組合は、加盟店の払い戻し時、加盟店間の仕入れなどでの送金時に手数料を得る。

〈出典〉東海農政局平成30年度東海地域農泊推進セミナー「飛騨地域におけるキャッシュレス決済の最新の取組紹介」（https://www.maff.go.jp/tokai/noson/keikaku/nouhaku/seminar/attach/pdf/seminar-12.pdf）、飛騨信用組合のウェブサイト「電子地域通貨 さるぼぼコインのご案内」（https://www.hidashin.co.jp/coin/#coinQanda）より、アクセンチュア作成

ゃんを指すこの地域の言葉だ。赤くてのっぺらぼうで、幼子が腹掛けをつけてばんざいをしているような形の人形を見たことがある人もいるだろう。地元ではさるぼぼ人形をはじめ、多くのさるぼぼグッズが販売されており、非常に馴染みのあるマスコットだ。

この電子地域通貨の実証実験は無事に終了し、2017年12月から本番運用が始まった。導入に携わったアイリッジによると、検討の結果、本番運用においてブロックチェーンの仕組みは活用しないと決定。いずれにせよ、岐阜県北部の高山市、飛騨市、白川村において、さるぼぼコインは急速に浸透している。同信用組合のプレスリリースによると、

2020年4月末時点で、このコインのユーザー数は1万2000人を超え、加盟店は約1200店に上る。また、外国人観光客の利便性を向上させるため、飛騨信用組合は2018年にアリペイと連携し、同エリアで共通のQRコードを利用した事業を進めていくと発表した。

さるぼぼコインのような地域通貨をうまく活用すれば、お金を域外に流出させず、地域内を循環させることで域内経済の活性化につなげることができる。また、地域通貨の多くは有効期限が設定されており、これによって消費の促進も期待される。さるぼぼコインも、最後に利用した日から1年後を有効期限としている。一方、地域内での援助・頼み事の対価として利用されるタイプの地域通貨の場合は、当事者同士が交渉によって金額を決定するプロセスを入れることで、地域・コミュニティにおける相互扶助の促進効果も期待できるだろう。

さらに、地域通貨を利用することで一物多価の設定ができる（しやすい）というのも特筆すべき点だ。例えば、地元住民向けと観光客向けに2通りの価格設定をしたり、季節ごとに価格を変える設定が可能だ。柔軟な価格設定により、利益を伸ばすことができる。

6 まだまだあるテクノロジーの数々

さて、ここまで様々なテクノロジーについて事例ベースで紹介してきた。紙面の都合ですべてには触れられないが、そのほかにも様々なテクノロジーが日進月歩で発展している。

・農業用ドローン──農薬や肥料の散布から圃場の測量、鳥獣被害対策、運搬作業、生育状況把握、害虫検知、受粉まで用途は様々。農林水産省は、農業用ドローンの普及拡大に向けてドローンカタログをまとめ、農業新技術活用事例を紹介している。

・ゲノム編集による品種改良──遺伝子の中のターゲットとする場所を高精度で切断することにより、特定の遺伝子が担う形質を改良する技術で、品種改良の効率性を高めることが可能になる。この技術を使って、機能性野菜の低カリウムレタスや、収穫量の高い稲、血圧を下げるトマト、肉厚の真鯛、養殖しやすい鯖など、様々な作物が開発されている。消費者に対する正確な情報発信なども踏まえながら、徐々に広まっていくとみられる。

図5-4：自動運転の技術的変化とレベル定義

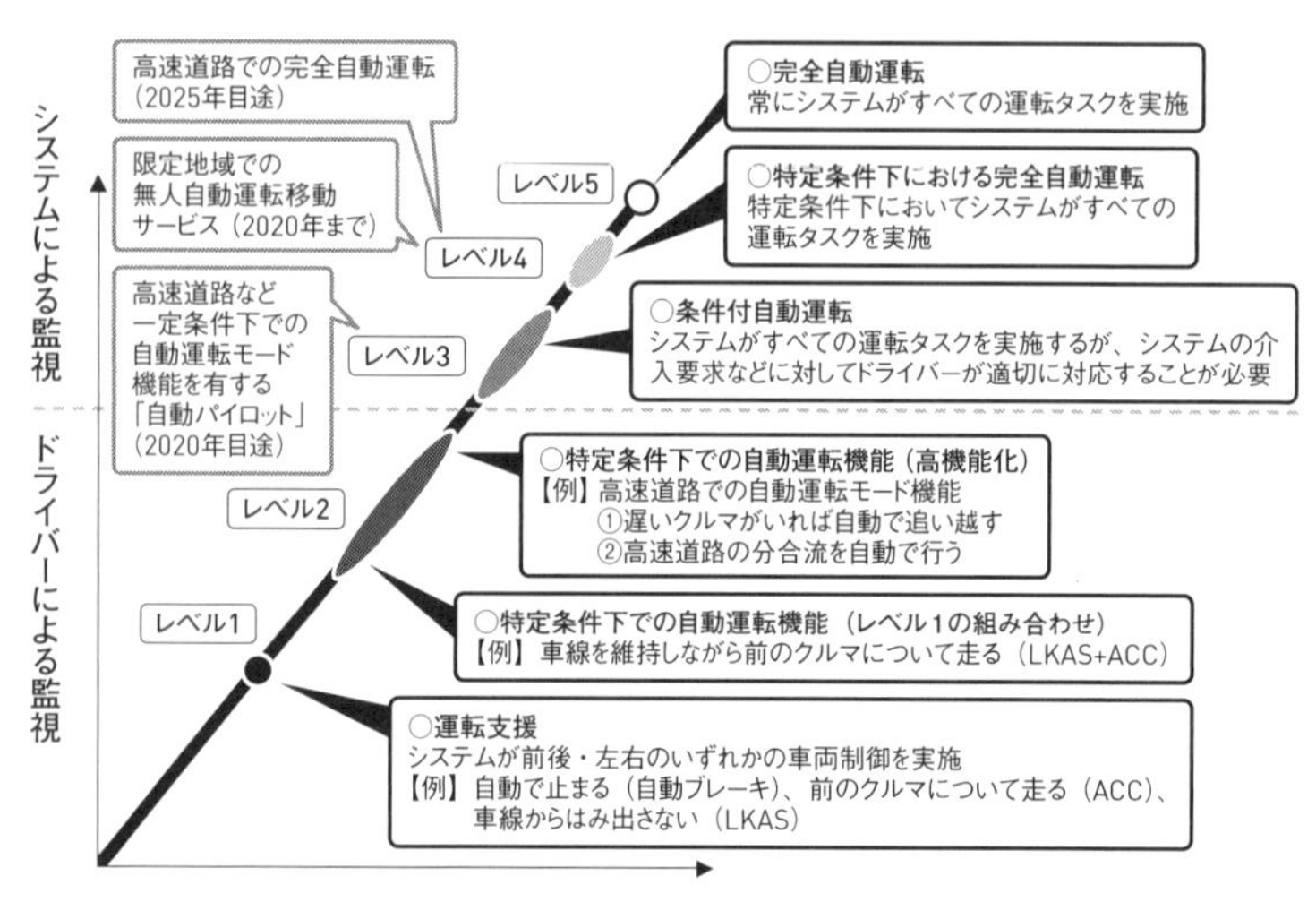

〈出典〉「官民ITS構想·ロードマップ2017」などをもとに作成

・**自動運転技術**――国内外で完全自動運転技術の確立に向けた動きが着々と進んでいる。自動運転は、実現に向けてレベル1からレベル5のステップに分かれているが、国は、2025年にはレベル4(特定条件下での自動運転)を、高速道路における自家用車やトラックなどで実現することを目指している。また、全国各地で高齢者が自由に移動できる社会を目指し、2020年頃を目安に限定地域(過疎地など)で無人自動運転技術移動サービスの実現を目標としている。

・**地下水活用システム**――様々な会社が地下水をきれいにする技術を実用化し、

提供し始めている。例えば、三菱ケミカルアクア・ソリューションズは、「地下水活用膜ろ過システム」と呼ばれる、無数の超微細孔がある糸を束ねたものに圧力をかけた水を流すことで、病原性大腸菌O-157やクリプトスポリジウムなどを取り除く仕組みを提供している。公共水道と併用して活用することで、上水道料金の削減が可能になるほか、災害時の備えにもなる（同社ウェブサイト「地下水活用膜ろ過システム」https://www.wellthy.co.jp/water/）。

7 必ずしも最先端テクノロジーである必要はない

様々なテクノロジーを紹介してきたが、特に地方創生の観点では必ずしも最先端テクノロジーにこだわる必要はない。大事なのは、テクノロジーに対する感度を上げ、常にその動向をウォッチし続けることだ。そして必要なテクノロジーを必要なレベルで、自分たちのやりたいことの実現のために活用すればよい。一足飛びに最新技術を導入して効果を上げている「リープフロッグ型」の事例もあるにはあるが、一方で、すでに都心や大企業では当たり前に使われている既存のちょっとしたテクノロジーを導入することで、状況が改善されたり、新しい取り組みをスタートできることもある。

例えば、RPA（ロボティック・プロセス・オートメーション）は、パソコンやサーバー上で人間が行っている定型業務を、処理プロセスを登録することでロボットが代わりに行う。大企業をはじめ、多くの企業で当たり前のように使われるようになってきている技術だ。RPA技術を使いこなすのに、高度な専門性はいらない。最初に操作方法、登録手順などをある程度学べば、ITの専門家がいなくなった後でも、職場でどんどん業務の自動化を進められる。人手不足に悩む職場では、RPAによって定型単純作業から人間を引き離すことができる。

また、横浜市で展開されている地域の課題、ソリューション、お金をマッチングする地域プラットフォーム「LOCAL GOOD YOKOHAMA（http://yokohama.localgood.jp）」も、最新ではなく既存のテクノロジーの活用事例だ。このウェブサイトは、地元の市民や企業、団体に地域のことに興味を持ってもらい、サービス、モノ、カネ、ヒト、情報の循環をつくっていくことを目指しており、アクセンチュアも社会貢献活動の一環としてプラットフォーム開発に協力した。スペインでつくられたオープンソース「Goteo」を使って構築されており、AIなどの難しい、高度な技術は特に活用していない。一度構築してしまえば、あとはこのプラットフォームを利用してクラウドファンディングなどの活動をしたい人と、それを応援したり支えたりする人が勝手につながり合ってくれる。

導入しやすいテクノロジーとしては、リモートワークの技術もある。2020年4月の新型コロナウイルスに関する緊急事態宣言をきっかけに、一気に広がりを見せている。業種や業務内容にもよるが、リモートワークは、特にホワイトカラーの業務に関してはやる気さえあれば導入が比較的容易で、PCやスマホなどの端末とインターネットだけですぐに実現できる。リモートでの会議や資料共有、セキュリティ設定などのちょっとした仕組みも、既存ベンダーアプリをインストールすれば、さほど手間をかけずに仕組みを構築できる。

繰り返しになるが、最先端テクノロジーの活用にこだわる必要はない。地域課題を持つ人々が密に連携し、周りを巻き込みながら自発的、自分事としてその改善に真剣に取り組んでいくことが成功の秘訣だ。私の周りにも、ある地域で成功したモデルを、そのままコピーして導入しようとしてうまくいかなかった事例や、地元の理解や熱意が追いつく前に最新テクノロジーを導入すればなんとかなると考えて、突っ走りすぎて失敗した事例など、成功しなかったケースは枚挙にいとまがない。

テクノロジーは強力な武器だ。しかし、その武器を手にする気がない人、武器を携えて地域課題と戦う気がない人にとって、それは無用の長物でしかない。

8 30年後、地方の生活コストは東京の約半分

——デジタル化による生活コスト・シミュレーション

ここまで紹介した様々なテクノロジーをフル活用できるようになる将来において、都市部と地方部の生活コストがどう変化するのか、簡単な試算をしてみたので紹介したい。

まず、結論から言うと、現状では1人当たり生活コスト差は30％で地方部のほうが安いが、2050年頃を想定したシミュレーションでは、生活コストが最大45％まで広がる可能性があり、コスト的には地方のほうが圧倒的に住みやすくなることが予想される（ここでいう都市は東京23区を、地方とは町村もしくは人口5万人未満の市を指す）。

このことは、所得の多寡にかかわらず、より多くの人がQOL（クオリティ・オブ・ライフ）を損なわずに持続的に生活することに対して追い風になる。つまり、地方に人を呼び込むうえではテクノロジーの進化を積極的に受け入れ、生活必需コストを最小限に抑えることができるかどうかが、重要な要素になる。

では、支出項目別にどのような変化が見込まれるのか見ていこう。

（1）食費——デジタルを活用したコミュニティ自給自足型農園の普及で地方は大幅減

まず、総務省の家計調査を見ると２００９年から２０１８年の10年間において食費は都市部、地方部に限らず増加し続けている。その要因は内食が減り、地方部においては外食と中食（調理済みの食品を持ち帰って食べる）、都市部においては中食が増えていることにある。これまでと同様の仕事・働き方・価値観が続くと考えられる都市部では、労働参加率の増加とともに今後も同様の流れが続くと考えられる。

一方で、コミュニティ構築がしやすく土地の価格が安い地方部においては将来、デジタル化の進展により自動化・工業化が進んだ農業が普及する可能性が高く、専門の農業法人や農家ではなく一般の人でもコミュニティで集まって、ある程度の農業生産を行うことが容易になる。さらには、テレワーク・在宅勤務を前提としたフリーランスが増え、職場の飲み会やランチでの外食機会が減少。デジタル技術によるマッチング率の向上や保存技術の向上により、コミュニティでの食材の一括購入や、調理のシェアリングを通じた調達コスト低減、さらには地域コミュニティ間における余った食材のシェアリングなどにより、地方においては食費がかなり低減する。つまり、自給自足とまではいかなくても、地域コミュニティ間自足のような状況が増加すると想定される。

試算の結果、都市部は食費が17％増加するが、農業にかかる初期投資分などを加味して

図5-5：都市と地方の消費者支出の現在と未来

1人当たり月間消費者支出（現在）
（2009～2018年実績、単位＝円）

	都市*1 (a)	地方*2 (b)	都市比 (b−a)÷a
合計	126,253	89,101	-29%
食費	32,342	22,098	-32%
住居	24,879	13,320	-46%
水道光熱	7,051	6,955	-1%
医療·介護	6,249	4,251	-32%
交通	7,089	8,600	21%
通信	4,282	4,185	-2%
教育	5,371	1,673	-69%
娯楽	17,203	11,559	-33%
その他	21,786	16,461	-24%

1人当たり月間消費者支出（2050年頃）
（将来予測、単位＝円）

	都市*1 (c)	実績比 (c−a)÷a	地方*2 (d)	実績比 (d−b)÷b	都市比 (d−c)÷c
合計	126,218	-0%	69,546	-22%	-45%
食費	37,946	17%	18,274	-17%	-52%
住居	26,189	5%	9,606	-28%	-63%
水道光熱	6,426	-9%	3,717	-47%	-42%
医療·介護	10,404	66%	5,693	34%	-45%
交通	3,610	-49%	1,875	-78%	-48%
通信	5,446	27%	5,044	21%	-7%
教育	7,017	31%	4,723	182%	-33%
娯楽	13,686	-20%	11,133	-4%	-19%
その他	15,495	-29%	9,482	-42%	-39%

*1 東京23区　*2 人口5万未満の市町村

〈出典〉総務省「家計調査（2009～2018年）」およびアクセンチュア社内エキスパート知見などをもとにアクセンチュア算出

も現在ですら都会部より32％安い地方が2050年頃にはさらに17％安くなる。その差は52％に広がると予測される。

(2) 住居費——地方では空き家リフォーム活用で大幅減

住宅は地価の差の影響を最も受けるため、現時点においても都市部と地方部の差が大きい支出項目だ。都心は地価上昇が続いており、今後も一定の上昇が続くと仮定すると、都市部の住居費の低減は難しい。

一方、地方においては空き家が大量にあることが課題になっている。地方自治体によっては空き家を紹介するマッチングサイトを運営しているところもあるが、条件を問わなければ無料に近い格安価格で移住者に紹介されている。空き家をリフォームし、安く提供するサービスが普及すれば、ただでさえ安い地方の住居費が、さらに安くなると考えられる。補助金利用も想定し、空き家の購入とリフォームで総額1000万を切る価格が実現できれば、住宅ローンの利用を考えても現在の平均よりも住居費は28％安くなる。これは、地方部で持ち家を持ったとしても都市部よりも63％安い価格で住める計算だ。

（3）水道光熱費――コミュニティ型分散型インフラでコスト低減

水道光熱費は地方部の支出が都市と大きく変わらない。

しかし将来、技術進化によって太陽光パネルや蓄電池の価格が大幅に下がり、分散型電源が広がれば、土地が余っている地方において電力コストが大きく低減する可能性が高い。実際、太陽光は図5-6が示すようにコスト低減が見込まれる。また、条件の良いオーストラリア南オーストラリア州では、テスラ製大規模蓄電池と風力発電の組み合わせにより、電気代が75％も値下げされた例もすでにある（参考資料：蓄電池を管理するAureconの報告書（2018年）https://www.aurecongroup.com/markets/energy/hornsdale-power-reserve-impact-study）。

今回の試算では、地方部の光熱費を押し上げているプロパンガスを廃止し、オール電化を進め、電力をすべて太陽光と蓄電池で自給自足するとした場合の水道光熱費を、太陽光

図5-6：太陽光発電コスト低減シナリオ*1

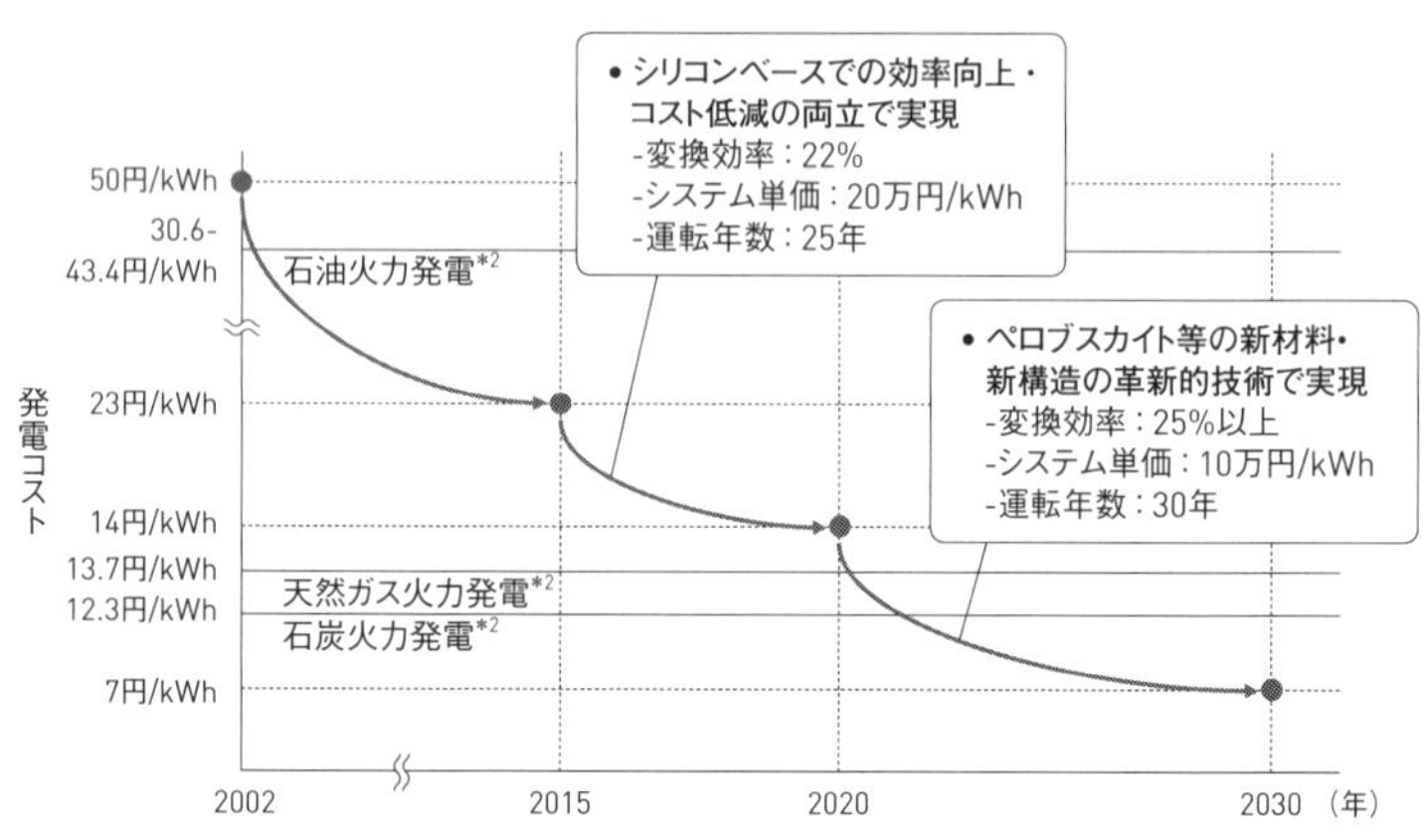

2030年目標では、新材料・新構造の技術革新により太陽光発電は石炭火力発電を下回る発電コストを実現

*1：NEDO「太陽光発電ロードマップ（PV2030+）」および「PV Challenges」（メガソーラー等の非住宅分野の発電コスト）

*2：関西電力「エネルギー問題と原子力-エネルギーのベストミックス」より、2014年モデルを掲載

〈出典〉*1、*2よりアクセンチュア作成

発電コストの大幅な値下がりを前提に計算した。すると、初期投資分を考慮しても地方の水道光熱費は47%も低減し、都市部よりも42%安い水道光熱費を実現できる可能性がある。

(4) 医療・介護費——過去のトレンドが継続

医療・介護費は高齢化によって、都市部・地方部ともに上昇傾向にある。特に、都市部においては今後の高齢化のスピードが高いことから、さらに上昇していくと予測される。もちろん、遠隔医療やAIの活用などによるコストダウン効果も考えられるが、新薬開発手法の進化によって治癒率や医療の質向上と引き換えに、高価な薬が増えてきている。日本は国民皆保険なので、医療・介護の単価は政策的な要素が大きく、本試算では過去トレンドに従うものとした。

(5) 交通費――自動運転×MaaSで場所を問わず大幅減

交通費は、都市部より地方部の支出が大きい費目の一つだ。地方部では自家用車が主な足であり、自家用車なしでの生活は難しい。そのため、都市部よりも自家用車の保有コストがかさむ。

しかし、自動運転の普及と自動運転を前提としたＭａａＳ（モビリティ・アズ・ア・サービス。移動のサービス化。移動を効率化して都市部での交通渋滞や環境問題、地方部での交通弱者対策などの問題解決に役立てる目的もある）の普及により、近い将来、公共交通機関と同じコストで車によるすべての移動がサービスとして提供される可能性がある。そうなった場合、自家用車保有コストから地方部も都市部も開放される。本試算では、一例として、国土交通省近畿地方整備局および京阪神都市圏交通計画協議会によるパーソントリップ調査（２０１０年）をベースに、現在自家用車や人件費が多く占めるタクシー利用の移動が、すべて鉄道・バスと同程度のコストの移動に代替されると仮定して交通費をシミュレーションした（図5-7）。

図5-7：都市と地方における1人当たり月間交通費の低減試算

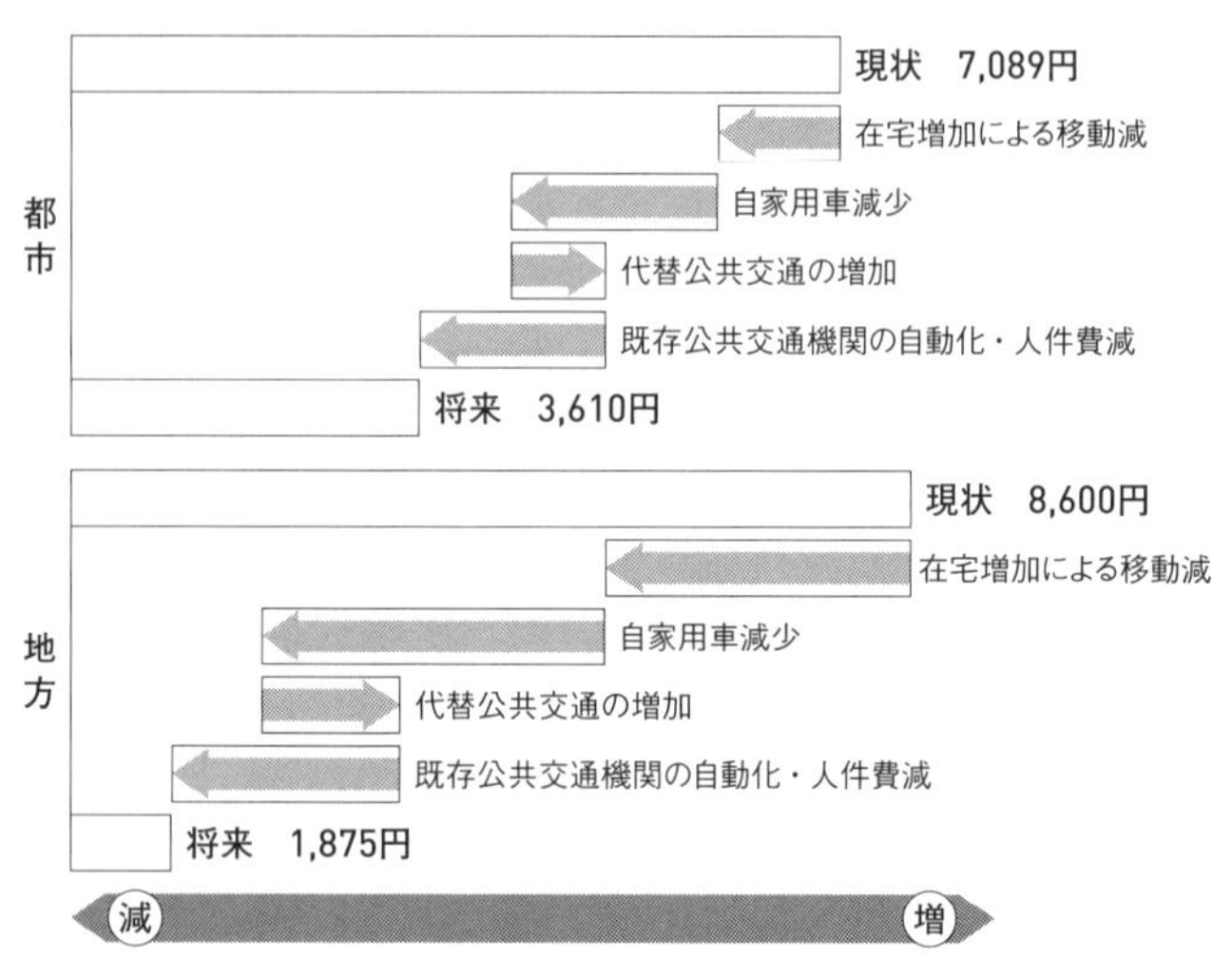

地方は、リモートワークが前提となる仕事がより多く、自家用車負担の解消効果が大きいため、交通費低減効果が非常に大きい

〈出典〉国土交通省近畿地方整備局および京阪神都市圏交通計画協議会による「パーソントリップ調査(2010年)」、総務省「家計調査（2009〜2018年）」、ハイタク問題研究会「2019年版ハイヤー・タクシー年鑑」（東京交通新聞社）、国土交通省「バス産業の収支構造と他産業との比較について」よりアクセンチュア試算

結果、都市部では交通費が49％減少、地方部では78％減少し、地方部のコストは都市部を逆転し、48％安くなると考えられる。

(6) 通信費――一人一台以上のスマートフォン普及で増加傾向

通信費も地方部と都市部で支出額は大きく変わらない。今後、デジタル化がさらに進展することで、一人一台以上のスマートフォンが当たり前になり、通信費用の増加が見込まれる。その前提で試算すると、通信費は都市部で27％増加、地方部で21％増加し、将来においても地方部は都市部より7％高い。

(7) 教育費・娯楽費――デジタル化で高度な教育機会・娯楽機会が地方にも

教育費や娯楽費も都市部よりも地方部のほうが低コストだが、その理由は、地方部には十分な選択肢がなく、質の高いコンテンツが提供されていないためと考えられる。従って、この結果から地方部のほうが良いとは言えない。

だが、この状況はデジタル化によって大きく変化する。ミネルヴァ大学やズイフトの例を見てもわかるように、今後、良質な教育・娯楽コンテンツが遠隔で提供されるようになり、コンテンツの内容・質において都市部と地方部の差は縮まっていくと考えられる。一方で、都市部のトレンドを見てみると、デジタルコンテンツの普及によって、費用がかかるリアルコンテンツに費やす時間が減り、娯楽費が減少している。また、教育費においては良質なコンテンツへの支出は、少子化とともに高まり、増加傾向にある。都市部と地方部の差がデジタルコンテンツによってなくなった未来においては、地方部も都市部と同じ傾向が発生すると考え、本試算では、都市部のトレンドである教育費の増加と娯楽費の減少を地方部にも当てはめた。

本章では、重要なテクノロジーの地方における導入事例と、それらのテクノロジーを活用した場合の将来における生活費コストを試算したが、読者はどのように感じただろうか。
都市部とまったく同じ環境が整うとは言えないが、テクノロジーを徹底的に活用することにより、少なくとも現在よりは生活の質の面のギャップがかなり埋まると考える。ギャップが解消して生活コストが最大45%も安くなるのであれば、地方移住を考える人が増えてもおかしくはない。ここが私たちの考えている「一筋の光明」であり、実現に困難を伴う地方創生において頼るべき要素だ。

また、最近では在宅勤務が定常化する「ポスト・コロナ（コロナ後）」が盛んに議論されるようになった。コロナを経験したことにより、ある程度の数の会社が、コロナ後に常識となるテクノロジーや働き方である「ニュー・ノーマル」を受け入れるようになる。大企業で働く人ですら、都心に通う必要がなくなり、地方移住を後押しする可能性があるのだ。実際にそうなるかどうかは、地方において、自分たちの魅力を引き出すためにテクノロジーを活用できるかどうかにかかっている。

次章では、地方再興を実現するための提言と併せて、実際にテクノロジーをうまく活用し、地域を変えていこうとしている様々な事例を紹介していく。本章でも事例を紹介したが、どちらかというとテクノロジーの進化により何が実現できるかを示すためだった。次章では、取り組みの全体像がわかる形で、地域活性化事例を紹介する。その中で、これからの時代に目指すべき社会の姿や、取り組みを始めるうえでの注意点や成功の要諦がどこにあるのかを考察していく。

第6章

地方再興を実現するための7つの提言

地方創生を目指す、
すべての人へ

前提事項

地方財源

データ取扱

規制緩和

第1章から第3章で明らかにしてきたように、日本は人口減少が続く中で、都市への一極集中と地方の衰退、さらにはデジタル化による労働市場のミスマッチの進展が予測されている。このような深刻な問題がある一方で、第4章では価値観の変化や多様化による地方への関心の高まりを、第5章では生活のあり方を激変させうる最新テクノロジーの進化を、地方創生に向けた一筋の光明として紹介した。

日本政府は現在、ソサエティ5・0を掲げ、人工知能、IoT、5Gに代表される様々なデジタルテクノロジーの進化によって、国民生活のすべてにイノベーションを起こそうと尽力している。多様化する個々人の興味関心・生活スタイルに応じて最適なサービスが提供され、どこにいても利便性と快適な生活を享受できることを目指しているのだ。重要なのは、地方創生の恩恵が広く行きわたることであり、そのためにも、これまでの章で示した課題を解決するためのアクションが必要だ。

私たちはそのアクションを方程式としてまとめてみた。

本章以降では、方程式にある「前提事項」「差別化戦略」「オペレーションコストの適正化」「実行・戦術」の4つの要素ごとに、私たちの考えを紹介していく。

なお、本書は地方創生をテーマにしているが、これから述べる考え方やアプローチの多くは、私たちが普段、一般の事業会社や官公庁を対象にした仕事の中で取り入れているも

図6-1：地方創生を成功に導く方程式(アクションと七つの提言)

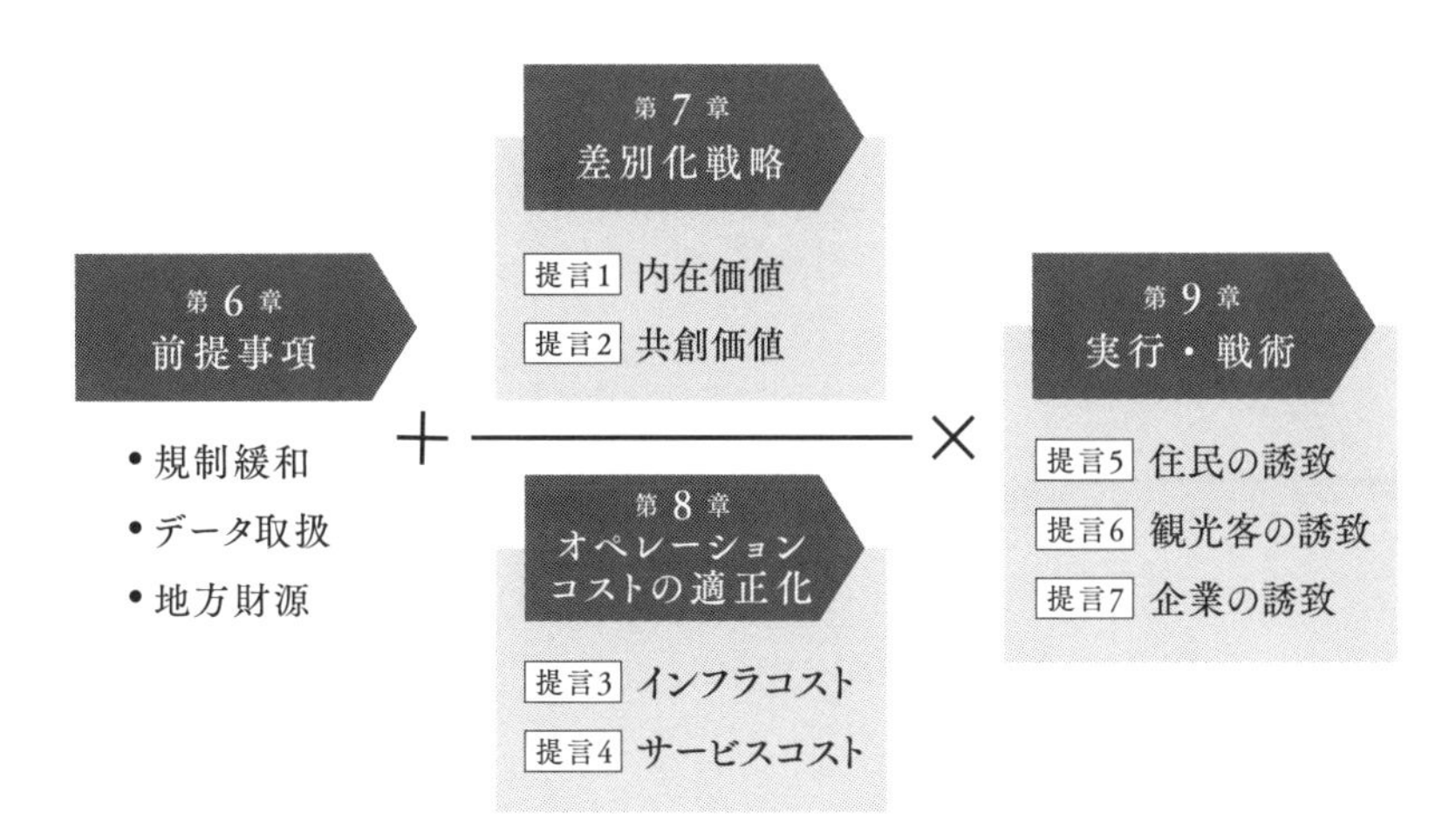

のと近い。しかし、例えば企業向けに戦略策定する場合は、その企業が軸足を置く業界や事業、競合企業、エコシステム、展開先の国や地域、自社の財務状況、さらには自社の強みによって具体的な戦略が異なる。それは、地方創生についても同じだ。ビジネスの世界で一般的なアプローチや考え方を、地方創生のアクションとして活用してほしい。

まず、本章では、地方創生に携わる人が知識として押さえたうえで整えておくべき「前提事項」について述べる。具体的には、規制緩和の動向、個人情報保護に関する考え方、地方財源のありようだ。

続く第7章では、地方創生を企業改革にたとえた際に最も重要となる、自らの強みや価値を明確にする「差別化戦略」「競争優位性」について述べる。具体的には、各地方における内在価値の発掘と、単独で売り物が見つからない場合の手法である共創価値の発掘について考えていきたい。共創価値とは、企業経営で言えばアライアンス戦略に類似しており、これを視野に入れることで各地方の未来に向けた選択肢はぐっと広がる。

第8章では、「オペレーションコストの最適化」について「インフラコスト」と「サービスコスト」の大きく二つに分類し、それぞれの適正化に関するアプローチを紹介する。第7章で述べた売り物が明確になったとしても、事業コストが必要以上にかさんでコスト倒れするようでは事業として成立しない。また、多くの自治体が財政難で苦しむ中、まずは変革に対する投資余力を捻出する必要がある。差別化ポイントに直結しないコストを徹底的に最適化したうえで、差別化ポイントの実現に資金を振り分ける巧みな舵取りが求められる。

締めくくりとなる第9章では、より具体的な「実行・戦術」について述べる。売り物が明確になってコストを削減しても、最終的に住民や企業、観光客に選ばれる存在になるところまでやりきらなければ、絵に描いた餅でしかない。そこで、実行上のヒントを紹介したい。

第7章以降で各提言の内容について詳しく見ていくが、その前に、地域再興の取り組みを開始するうえで押さえておくべき基本的な知識や考え方を前提事項としてまとめた。「規制緩和の進展」「データの民主化」「自立した地方財源」の3つの前提事項を頭に入れておくことで、7つの提言をより現実的に受け止められるだろう。

前提 1 規制緩和の進展

「岩盤規制」という言葉に象徴されるように、イノベーションと規制は常に対立軸で語られてきた。しかし日本政府は、ここ数年で「国家戦略特区」「レギュラトリー・サンドボックス」「スーパーシティ」という実証推進施策を着実に進めている。現段階において企業や地域社会は、規制緩和を声高に叫ぶのではなく、規制緩和の方向性を正しく理解・活用し、既存の概念に縛られないアイデアの実証や実現に踏み込むべきだろう。

・岩盤規制の構造

日本はある意味、一度完成した国だと思う。戦後復興から高度経済成長期を経て、GDP世界第2位の大国まで上り詰め、様々な問題や弊害を法制度や社会体制で克服し、解決してきた。しかし、かつて色々な問題解決のために良かれと思って設計した諸制度が、今では岩盤規制と呼ばれるようになり、イノベーションの障害・弊害となっている。岩盤規制のすべてが、既得権益者の保護のためにあるとは思わない（そういう側面のあるケースもあるが）。消費者や国民が安心・安全に生活できるようにするためには、一定の規制は必要と考えている。しかし、第四次産業革命が始まる中で、20世紀に立脚したルールに縛られた物の考え方をしているようでは、何事も立ち行かなくなる。重要なのは、改革を成し遂げる意志を強く持っているかどうかだ。

・国家戦略特区

日本政府も、規制改革の必要性は認識しており、2013年に国家戦略特別区域法が成立。国から認定を受けた特定の区域（エリア）で、従来の規制を大幅に緩和する制度を構築した。2019年現在で、観光・教育・農業など計11分野で92事業が国家戦略特区の対象となった。自動走行やドローンの自律飛行実証が可能な近未来技術実証特区や、Airbnb（エアビーアンドビー）などに代表される民泊を可能とする民泊特区などがその例だ。

国家戦略特区は一定の成果を上げているものの、規制緩和の必要性の証明は、それを求める側がしなければならない。ところが、規制緩和を求める側は、既存の規制に縛られたり、リスクを恐れるあまり証明に必要な実証データが蓄積できないというジレンマに陥っている。

例えば、エアビーアンドビーやウーバーのようなサービスは海外で生まれ、普及したからこそ、日本でも必要性が理解され規制緩和の議論となった。つまり、二番煎じのイノベーションであれば規制緩和を訴えやすいが、日本発の斬新で画期的なサービスを海外に先駆けて生み出すのは難しいのが現状だ。

・レギュラトリー・サンドボックス

日本政府は、これらのジレンマを解消するための新たな制度として、レギュラトリー・サンドボックス制度を、生産性向上特別措置法に基づき2018年6月に開始した。サンドボックスとは「砂場」のことで、レギュラトリー・サンドボックスはいわば規制の砂場だ。子どもたちが砂場で山や城をつくるように、様々な社会イノベーション実証を手軽に「お試し」できることをイメージして命名された。

レギュラトリー・サンドボックス制度は、ルールありきではなく実証優先主義を掲げている。「まずやってみる」というトライ・ファーストの精神だ。また、実証の成果をその後のルール整備や政策立案に生かし、実証がうまくいかない場合でも、その結果を貴重なデータとして活用することを宣言しており、前衛的な規制緩和制度と言える。2019年

12月現在、日本では13の民間主導のプロジェクトがこの認定を受けている。

・トヨタによる実証都市

2020年1月に、ラスベガスで開催されたコンシューマー・エレクトロニクス・ショー（CES）で、トヨタ自動車の豊田章男社長が富士の麓の工場跡地を「Woven City（ウーブン・シティ）」と名づけ、ゼロベースの街づくりを2021年から開始すると発表した。水素燃料と自動運転、パーソナルモビリティ、センサリングと人工知能における新たなサービス創出、それらを街のハードから設計し、トヨタの従業員と家族、退職者、パートナー企業の従業員などを住まわせ、新たな世界の実現を目指した実証地とするという（参考資料：「CES2020 トヨタプレスカンファレンス豊田章男スピーチ」トヨタ自動車ウェブサイト、https://global.toyota/jp/newsroom/corporate/31221882.html）。その後、NTTグループが実証実験に参加の意思表明をしており、実行に向けた枠組みが整ってきている。

トヨタという日本を代表する企業が、国による規制緩和制度をどのように活用していくかは、多くの人が注視するところだ。ゼロベースの街づくり、私有地の活用、関係者中心の住民構成という、まさにトヨタだからこそ実現可能な、自由度の高いリアルな実証地で行われる試みに期待したい。

・スーパーシティ

規制改革の最新の政府動向として、スーパーシティに関する動きも外せない。2020年4月現在、法案は衆議院を通過したばかりで未成立だが、特定の都市を丸ごと未来都市とすることを目的とした制度設計を目指し、早期成立が望まれている。

レギュラトリー・サンドボックスは、企業起点のイノベーションプロジェクトを軸足に据えているが、スーパーシティは地域の社会課題が起点で、課題解決に際して障害となる種々の規制を一括で緩和できるようにする。制度体系としても規制緩和要望を基本構想として一括で内閣総理大臣に提出され、総理から要請を受けた複数の関係省庁が同時に規制緩和を検討する。こうして、利用者目線で複数のイノベーティブなサービスを一気に推進させようとしている。

例えば、患者目線で医療イノベーションを実現しようと思った場合、医療サービスに加えて、病院までの移動手段としてのモビリティ、病院の会計待ち時間解消のためのキャッシュレス決済、健康管理アドバイスを目的とした行動データ活用（個人情報保護関連）の枠組みなど、対応すべき規制の範囲やそれを管轄する関係省庁は多岐にわたる。それらを包括的な規制緩和として推進することで、世界に先駆けて「丸ごと未来都市＝スーパーシティ」をつくろうとしているのだ。

コラム

トロントの再開発プロジェクト サイドウォーク・トロントにおける規制緩和の考え方

カナダ・トロントのウォーターフロント地区（約300ヘクタール）を、グリーンフィールド型スマートシティとして再開発するプロジェクトが、世界中から注目を浴びている。

このプロジェクトが斬新なのは、再開発のデベロッパーを募集する前に行政がイノベーションパートナーを公募し、開発のビジョンと投資を競わせた点だ。さらに、公募を勝ち抜いた企業がグーグル（アルファベット）のグループ会社のサイドウォークラボ（Sidewalk Labs）であることから、多くの関心を呼んだ（サイドウォークラボは2020年5月に撤退を表明。トロント市は計画を引き継ぐパートナーを探すことになった）。提案されたビジョンも意欲的で、世間を驚かせた。その中の一つに、ゾーニング規制の改革案がある。

通常、自治体は都市計画の中で、地域内の土地利用を住宅用、商業用、工業用、農業用など目的別にゾーニングして、土地利用の内容を制限している。このような規制がないと、例えば、住居のそばに工場が建設されるのを拒否できなくなってしまう。

一方で、職住近接や多様な土地利用が街の魅力向上に寄与する面もある。サイドウォークラボは、ゾーニング本来の役割である快適さを阻害する要因をセンサリングし、リアル

図6-2：常識を打ち破る街づくり提言の例（サイドウォーク・トロント）

人間が運転する自動車が安全・快適に移動することを前提としたデザイン	自動運転前提に基づく人&コミュニティ・ファーストなデザイン
ゾーニング規制による硬直的な都市計画	ゾーニング規制に代わるアウトカム測定を通じた住環境制御
デモグラフィに基づく住民構成	まちづくりへの参画意欲が高い住民の積極的巻き込みとコミュニティデザイン

〈出典〉Sidewalk Labs「Vision Sections of RFP Submission」よりアクセンチュア作成

タイムで監視。その多寡に応じてリワードやペナルティを課すことで、ゾーニングに代替できないかと考えたのだ。

これまでは自治体が一方的に線引きをして用途を制限していたが、サイドウォークラボでは、そもそもなぜ用途の制限が必要なのかという本来の目的に立ち戻り、例えば、騒音や排出ガスなどの数値をモニターして、用途別に地域を線引きしなくても住宅と工場が共存できる仕組みを考えている。まさに発想の転換だ。

これによって、住民の生活の快適さを損なうことなく、住居のすぐ隣に工場を建てることも可能となる。

ムーンショット型研究開発制度

「前提1」の最後に、少し切り口が異なるものとして、ムーンショット型研究開発制度についても紹介したい。

国は、超高齢社会や地球温暖化問題などの重要な社会課題に対し、人々を魅了する野心的な目標（ムーンショット目標）を設定している。挑戦的な研究を積極的に推進するための制度だ。究極的に目指しているのは「人々の幸福」で、その基盤となる社会・環境・経済の諸課題を解決すべく、6つのムーンショット目標を決定している。5年間で総額1000億円の予算が投じられ、今後、具体的に研究を募っていくようだ。

2050年というとかなり先で、目指すべき内容もその分大胆だ。例えば、「目標1」に関して、具体的に目指す社会の姿として、「人の能力拡張により、若者から高齢者までを含む様々な年齢や背景、価値観を持つ人々が多様なライフスタイルを追求できる社会を実現」「空間と時間の制約を超えて、企業と労働者をつなぐ新しい産業を創出」などを挙げている。荒唐無稽な夢物語と揶揄する声も聞こえるが、テクノロジーの進化予測からすると必ずしも的外れとは言えない。

ムーンショット型研究開発制度の本来の趣旨は、日本が抱える深刻な社会課題への大胆

図6-3：政府が定めた6つの「ムーンショット目標」

目標1	2050年までに、人が身体、脳、空間、時間の制約から解放された社会を実現
目標2	2050年までに、超早期に疾患の予測・予防をすることができる社会を実現
目標3	2050年までに、AIとロボットの共進化により、 自ら学習・行動し人と共生するロボットを実現
目標4	2050年までに、地球環境再生に向けた持続可能な資源循環を実現
目標5	2050年までに、未利用の生物機能等のフル活用により、 地球規模でムリ・ムダのない持続的な食料供給産業を創出
目標6	2050年までに、経済・産業・安全保障を飛躍的に発展させる 誤り耐性型汎用量子コンピュータを実現

な目標を持ったうえでの解決であり、企業や研究者だけでなく、各地方社会こそこうした国の未来ビジョンに積極的かつうまく相乗りし、未来社会の実証を進めることも検討すべきだろう。国の動きや制度、活用できるものは何かないか、常にしたたかにウォッチし、巧みに利用していってほしい。

以上のように、国は国家戦略特区、レギュラトリー・サンドボックス、スーパーシティ、ムーンショット型開発など、従来の規制緩和の枠を大きく超え、新たな社会イノベーションを起こす環境づくりを推進している。地方創生に関わる企業や自治体は、この流れにうまく乗り、新しい制度を巧みに活用しながら、自社や地域をどうしたいのか本気で考えるべき時期に差し掛かっている。

前提

2 データは市民のもの

コラムで紹介したカナダ・トロントのサイドウォークラボの事例では、データの取り扱いをめぐって地元住民との間で問題が起きた。生活の中から生まれてくるデータをグーグルのような企業が独占することで、知らないところでビジネスに活用されたり、無断で自身のデータが出回るのではないかと不安に感じた住民が声を上げたのだ。

議論の末、トロントでは住民や学識者を中心としたトラストを形成し、そのトラストが全データを管理することになった。サイドウォークラボをも含む各民間企業は、トラストの承認のもとでデータを利用する方向でまとまりつつあった。

日本においても、正しいデータの利活用は、今後、地方への権限移譲と成長の大前提となる。重要なのは、「個人情報保護に対する規則や意識の高まりを理解すること」と「データの適切な利活用で生活者の利便性や満足度を高め、地域や企業の成長につなげる」という一見矛盾し合うアンチテーゼをうまくバランスさせ、両立させていくことだ。それぞれについて見ていこう。

ＧＤＰＲと日本における個人情報保護法の改正

個人情報に関する規制や意識の高まりを象徴するものとして、欧州で２０１８年に施行されたＧＤＰＲ（General Data Protection Regulation＝一般データ保護規則）がある。個人データ保護に対する権利という基本的人権の保護を目的としたＥＥＡ（European Economic Area＝ＥＵ加盟国およびアイスランド、リヒテンシュタイン、ノルウェーで構成される欧州経済領域）の管理規則であり、基本的には、ＥＥＡ内の各人が自身で自分の個人データをコントロールする権利を保障する内容だ。

端的に言えば、データは取得した行政や企業や病院のものではなく、あくまでデータを発生させた個人のものであるということ。域外企業であっても、ＥＥＡ内の個人にサービスを提供する場合には対象となる。極めて広範囲かつ包括的な適用となっており、ＧＤＰＲ施行時には、多くの日本企業も対応に追われた。

日本では、個人情報保護法を２０１７年に大幅改正したが、個人の権利をより包括的に認めるＧＤＰＲと比べて、クッキー（ウェブサイトの閲覧データ）や位置情報に関する取り扱いに差があった。しかし、大手就活情報サイトがクッキー情報を活用した就活生の内定辞退率予測などを企業に販売していた問題などを受け、個人情報保護委員会はクッキー利用の規制案を検討していることを2019年11月に発表した。2020年度に実施予定の個人情報保護法改正においては、日本も欧州型のデータ利活用制限へと進んでいくと想定される。

データ利活用法案

その一方で、生活者の利便性や満足度を高めるデータの利活用を促すための施策も進んでいる。

日本では、2016年に官民データ活用推進基本法を定めており、同法で官民データの円滑な流通を促進するため、データ流通における個人関与の仕組み構築などを掲げている。2017年の個人情報保護法改正と合わせて、情報銀行の認定制度を整備した。

また、2019年1月のダボス会議で、安倍首相が「成長のエンジンはデジタルデータであり、新しい経済活動にはDFFT（Data Free Flow with Trust＝信頼性のある自由なデータ流通）が最重要課題である」と提言した。同年6月のG20大阪サミット首脳宣言でも、電子商取引・データ流通に関する国際的なルールづくりを進めていく「大阪トラック」の立ち上げを宣言し、DFFTという概念についても多数の参加国の賛同を得た。

前述の通り、自治体や企業が新しいサービスを開拓する際の前提として、「個人情報保護の動き」と「データの利活用」という相反するアンチテーゼを絶妙にバランスさせる必要がある。しかし、一見相反するこの二つの考え方の間で苦悩している自治体や企業は多い。そうした中、アクセンチュアが福島県会津若松市での取り組みを通じて見いだした一つの解は、「データは市民のもの」という信念を首尾一貫徹底することだ。多くのデータを手に入れることを主眼に置かず、あくまでユーザー視点でサービスの便利さ、ユニークさを突き詰め、それに対して明確に同意(オプトイン)を得たうえで、必要なデータを取得して活用する。その結果、賛同者が増えれば、そうしたサービスが自治体や企業の競争の源泉となる。

実際、アクセンチュアが日本を含む世界11カ国で6500人以上の市民に調査したところ、日本、アメリカともに79%の人が、「よりパーソナライズされた公共サービスが得られるならば、行政機関に対して個人情報を共有しても構わない」と答えている(https://newsroom.accenture.jp/jp/news/release-20200316.htm)。

前提 3

自立した地方財源

前提事項の最後として述べておきたいのは、自立した地方財源のありようだ。社会課題解決に向けた制度設計や規制緩和が実現したとしても、地域が主体的・意欲的に取り組みを推進するためには、一定の独立した財源が必要である。

地方に財源を移譲する既存の取り組みとして、ふるさと納税がある。2008年に始まったふるさと納税の受入額は年々増加し、2018年度は5127億円に達した。2015年に納税ワンストップ特例制度が整備されて以降、豪華さを競う返礼品合戦はいささか行きすぎの感があったが、本来は、故郷やゆかりの地、応援したい地域に税金の一部を寄付する、いわば自分の意思で納付先や税金の使途を決められる、日本で唯一の納税制度だ。

最近では、クラウドファンディングの仕組みを行政施策に応用した、ガバメント・クラウド・ファンディング型のふるさと納税も始まり、金額や件数は増加傾向にある。例えば、2019年に焼失した首里城の再建支援プロジェクトを沖縄県那覇市がガバメント・クラウド・ファンディング型ふるさと納税で募集した結果、わずか2日で当初目標の1億円を超え、その後も多くの寄付金が集まっている。

また、国から地方公共団体への特徴的な補助金として、地方創生推進交付金がある。2015年度の地方創生先行型交付金を端緒とした地方創生関係交付金の一部だ。2020年度も1000億円規模（事業費ベースで2000億円規模）で予算措置が組まれている。その予算規模もさることながら、特筆すべきは交付方法だ。各自治体が策定した地方版総合戦略に基づく自主的かつ主体的な取り組みであれば、基本的にどのような形でも活用可能で、各省庁が実施する使途や目的を限定した従来の補助金などとは一線を画している。

このように、創意工夫とやる気のある自治体に対して柔軟に財政を配分する制度は、今後さらに拡張すべきだと考える。日本国民が居住地を問わずに一定の行政サービスを受けられるようにするための従来型の地方交付税交付金と、やる気のある地域や自治体による地域の維持・発展・生き残りをかけた取り組みに応える財政的支援は、明確に分けて考えるべきだ。特に後者については、地域のやる気度合いに応じてメリハリをつけていくことが、高い成果につながる。

厳しいようだが、やる気のある地域には財源が集まり、規制緩和の側面から積極的な後押しもあるが、現状維持のまま特色を打ち出すことができない地域は、消滅の可能性が加速度的に上がる。まさに、地域に責任と自由を与える「自律分散型の自治体運営」が始まりつつある。

第7章

各都市の価値をどうやって向上させるか

内在価値創出と戦略的連携の具体的方法

差別化戦略

提言2 共創価値

提言1 内在価値

第6章では、地方創生に向けたアクションを表した方程式の概要と、取り組みを開始するうえで押さえておくべき基本的な知識や考え方を前提事項としてまとめた。本章からは、「差別化戦略」「オペレーションコストの適性化」「実行・戦術」に沿って、7つの提言についての具体的内容や事例を紹介していきたい。

提言 1

内在価値を発掘し、独自の個性を追求する

各地方が、内在的な価値を発掘し、個性を極めていくことは、企業・住民に選ばれ、生き残るために必要な要素の一つだ。人口が減少する中、多様化するニーズに大都市とは異なる独自性で応えられなければ、地方に経済と人の流れを取り戻すことはできない。しかし、第4章で見たように、「収入ではなく働きがい」「都心ではなく地方」を選ぶQoLエコノミーの台頭の兆しとも言える価値観が生まれてきている。GDP的価値が中心だった時代は都市が強かったが、QoL的価値を取り入れれば、地方でも十分に差別化が可能であり、人を呼び込むことができるだろう。また競争領域においては、差別化戦略に基づく価値向上が不可欠であり、それが結果として、多種多様な地域社会の発展にもつながっていく。

後述のように、アクセンチュアが関わっている福島県会津若松市の地域再生でも、独自価値の追求には余念がない。独自性や多様性に基づく価値といっても、その種類や具現方法は様々だが、成功している取り組みを読み解くと、次の3つの共通要素が見えてくる。

①地域独自の内在価値を分析・発掘し、それらを前面に打ち出す戦略を立てる。
②自治体や地域企業のみでの戦略実行は困難なため、外部投資を呼び込み、多様な人を巻き込む。
③成果が生まれるまで粘り強く継続的に取り組む。

各地域での具体的な事例を見ていこう。

[事例1] ICTによる産業集積——福島県会津若松市

本書の中でもすでに、いくつかの章で事例として取り上げている福島県会津若松市が発掘した独自価値は、ずばり、ICT（情報通信技術）である。

従来から、少子高齢化や（いつ閉鎖するともわからない）旧来型工場誘致への過度な依存に頭を悩ませていた会津若松市は、2011年の東日本大震災をきっかけに、スマートシティに大きく舵を切った。先進ＩＣＴ研究に特化した県立大学として創設された会津大学の存在から、ＩＣＴに対する素地が地域全体で他の地域より進んでいると判断し、ＩＣＴ産業の集積を新たな目標に決めたのだ。同時に、市民ＱｏＬ向上をスマートシティの究極の目標として打ち出し、「スマートシティ会津若松」の実現を掲げた。

目標実現のため、会津若松市は、自ら進んで最先端のＩＣＴ実証フィールドになることを市が全面的に支援すると明言して、企業誘致に努めた。口先だけではなく、首長による強力なリーダシップに加えて、ＩＴ部門だけが推進の旗振りとならないよう、情報政策部門出身のＩＣＴに詳しいキーマンを各課に配置し、一定の裁量を与えた。

アクセンチュアをはじめ、民間企業の巻き込みも積極的に行った。市では、会津地域スマートシティ推進協議会という、大企業のみならず地元企業や自治体も含んだ団体が、スマートシティ会津若松の方向性を決定する機能を担う。この協議会は、意思決定・合意形成において重要な役割を担っているのはもちろんのこと、地域の声を吸い上げて、様々なＩＣＴソリューションを会津に合った形で導入する重要な機能を担っている。

同市において、順調に取り組みが進んでいる理由の一つは、「市民中心」というブレないポリシーの徹底だ。市民中心にあらゆるサービスを考える。そして、サービスメリットを伝えたうえで、必要な個人情報をオプトイン（明示的同意をした人のデータのみを取得する手法）で収集している。

こうして10年近くに及ぶ粘り強い進化の結果、会津若松市は日本を代表するスマートシティになりつつある。

［事例2］食文化やサイエンスを軸とした地域デザイン――山形県鶴岡市

水田が美しい庄内平野にある鶴岡市は、「食文化」と「サイエンス」という二つの内在価値の発掘に努めたケースだ。

食文化という一つ目の内在価値についてのキープレイヤーが、イタリアンシェフの奥田政行氏が経営するレストラン「アル・ケッチァーノ」だ。奥田氏は、今でこそ、日本全国で、地域の食材を活用した食の再発見とブランドづくりを行っているが、その始まりは鶴岡市に2000年にオープンしたアル・ケッチァーノにある。地元の食材、とりわけ伝統野菜・在来野菜と呼ばれる、その地で近代化以前から栽培されている品種の魅力に注目し、地域農家と協力してこの店を始めた。奥田氏のレストラン経営や食の都としてのブランディング手腕も相まって、今では多くの人が遠隔地からアル・ケッチァーノに足を運ぶようになった。

二つ目の内在価値である「サイエンス」に関するキープレイヤーとして紹介したいのは、

バイオベンチャーのスパイバーだ。同社は、鋼鉄よりも強くて軽い、蜘蛛の巣を人工的に量産することに成功したことで知られる。スパイバー誕生の背景には、鶴岡市が鶴岡サイエンスパークを整備し、そこに新しい知的産業を興そうと、慶應義塾大学先端生命科学研究所を誘致したことにある。目論見通り、研究所の学生の研究がきっかけとなりスパイバーが生まれ、他にも5社のバイオベンチャーが集積した。鶴岡市では、産業が興き、雇用が生まれるまで市が全面的に取り組みを支援しており、今では500人の最先端事業に携わる高度人材の雇用が生まれている。

スパイバーの成長によって、外国人研究者を含む多くの人材が、鶴岡に集まった。しかし、当初、外国人の子ども向け保育・教育施設や、ビジター向けの宿泊施設がないなど、十分な受け入れ態勢が整っていなかった。そこで、多様な人々の受け入れと、地域との共生を実現するため、ヤマガタデザイン（https://www.yamagata-design.com/）という地域ブランディング会社が地元資本により設立された。代表的な取り組みは、「ショウナイホテル スイデンテラス」という水田のきらめきをボリビアの有名なウユニ湖に見立てたホテルだ。その周辺に子ども向け施設や地元産品を扱う店などを構え、クリエイティビティの力で地域活性化、課題解決を目指している。

［参考資料］

・『地方再生のレシピ～食から始まる日本の豊かさ再発見～』（奥田政行、共同通信社、２０１５年）
・「サイエンスパークのさらなる発展に向けて　鶴岡市委託事業 慶應義塾連携協定地域経済波及効果分析等業務 調査結果概要」（山形銀行、２０１９年３月29日、http://www.city.tsuruoka.lg.jp/shisei/sogokeikaku/dai2jitaikoubetu/syoukoutokankou/koutoukyouiku-renkei/seisaku0120190124.files/20190329gaiyou.pdf）

［事例３］アートから続く地域振興――徳島県神山町（https://www.in-kamiyama.jp/）

徳島県神山町は、アート事業を軸に様々な要素を組み合わせ、価値に変換していった事例だ。今では田舎ブランドによるＩＴ企業誘致の成功事例としても知られている。

神山町の転機となったのは、１９９９年に開始した神山アーティスト・イン・レジデンスプロジェクトだ。国内外の多様なアーティストを神山町に招聘し、数カ月実際に滞在して創作活動の場としてもらう。この事業は現在まで脈々と続き、アートによって人が集まる仕組みの核となった。

アート×ＩＴワーカーの例として、２００５年に同町に光ファイバーが整備された際、アーティスト・イン・レジデンスの取り組みを広く発信しようと、ウェブサイト「イン神山」を制作した。それと並行して「ワーク・イン・レジデンス」というプロジェクトを立ち上げ、アート事業を含めた地元情報を発信するウェブサイト「イン神山」で紹介し、手に職を持つ移住人材の逆指名型誘致を開始している。

アート×サテライトオフィスの取り組みもある。神山町でアート事業に携わった一人が、町内の古民家を現代風に改修することになり、彼の同級生が賛同。その場所をサテライトオフィスとして活用した第一号企業の社長は、名刺管理で有名なＳａｎｓａｎの寺田親弘氏だった。以後、サテライトオフィス誘致事業は軌道に乗っていった。

さらに、アート事業をきっかけに得た様々なチャンスを、機を逃さずに迅速に捉えている。例えば、サテライトオフィス事業を立ち上げた際には、「神山バレー・サテライトオフィス・コンプレックス」を開設。民間企業が地方にオフィスを開設するのは、実際には容易でない。そこで、本誘致前のお試し企業移転の場所として、コンプレックスを開設したのだ。お試し入居した企業が「等身大の神山町」を体験できる場として、また地元の人たちが様々な企業と触れ合える場として、この場所は、神山町の最重要拠点の一つとなっている。

一連の取り組みを継続できている大きな理由は、神山町の合い言葉である「やったらええんちゃう?」という言葉に表れている。アーティスト・イン・レジデンス事業を通じて、外国人も含む多様な人々を受け入れ、異文化に長年継続して触れ続けた結果、柔軟な気質が醸成されていった。若者だろうが外国人だろうが、新しいことを「やったらええんちゃう？」というマインドが生まれたのだ。長年の取り組みを通じてそうした信念を広めていったからこそ、神山町の今がある。

神山町の挑戦はまだまだ続く。２０１９年６月には、神山町にＩＴ、ＡＩ、デザイン、アートと起業家精神をミックスした知識や考え方を学べる次世代型の私立高専「神山まるごと高専」を、官民共同で２０２３年４月に開校する計画を発表した。神山町に企業だけでなく学生も集まるかどうかはまだわからないものの、「やったらええんちゃう？」の精神で決断したのだろう。

［事例４］複合拠点による賑わいづくりを通じた移住・定住促進——岩手県遠野市

岩手県遠野市は、廃校となった中学校を人が交流する複合拠点として活用し、新たな価値の創出と、まちの賑わいづくりや移住・定住化に取り組んでいる。

きっかけは、東日本大震災だ。ＣＳＲを目的に富士ゼロックスがサポートを開始し、交流事業が始まった。最初に取り組んだのは、「地域の未来を担うことのできるリーダー」の育成だ。廃校となった中学校で「遠野みらい創りカレッジ」という人材育成事業を開始した。その後、東京大学や海外有名大学との異文化交流も行い、多くの人が集まるようになった。

この事業を軸に、さらに多くの人や企業の誘致と移住・定住策を進めている。

例えば、集まった人々に、遠野市にも仕事ができる環境があることをアピールするため、テレワーク拠点としてサテライトオフィスやコワーキングスペースを、国の補助金も活用しながら同じ旧中学校校舎内に設置したほか、市民交流スペースやファブラボ（多様な工作機械を備えた工房）も整備した。そこでは、各種イベントの冊子づくりや布転写を活用したオリジナルシャツづくりなどが行われている。2018年には5000人以上がこの拠点を利用したが、その約6割は市外の人による利用だ。

また、遠野市では、2006年より定住推進組織である「で・くらす遠野」を組成し、移住の計画から定住までに必要な情報をワンストップで提供・サポートする体制を構築している。交流事業と合わせて相乗的に効果を高めようとしている。

こうして、行政単独の単純な移住・定住促進ではなく、企業や大学、あるいは市民も巻き込んだ賑わいづくりをすることで、2018年までの10年間で160名の移住・定住を実現した。

［参考資料］
・「テレワークセンターから遠野のみらいを創りだす」（総務省『ふるさとテレワーク』、2018

年8月、https://telework.soumu.go.jp/cont1-tono）

デジタル時代において、地域が独自性・多様性をもって地方創生を実現するためには、データの利活用が欠かせない。宮城県気仙沼市は、データを分析し、海の幸を活かした観光地としての価値を掘り下げていった事例だ。

［事例5］データ活用による観光振興――宮城県気仙沼市

気仙沼市で行われているのは、「気仙沼クルーカード」を活用したデジタルマーケティングである。気仙沼クルーカードは、2019年7月現在で2万枚以上発行され、気仙沼市内の宿、飲食店、物販店など70店舗以上の加盟店で利用可能だ。利用額の1％分のポイントを付与するほか、加盟店で会員限定の割引や、市役所の各種イベントでのポイント付与が特典としてある。

気仙沼は、RESAS（地方自治体の様々な取り組みを情報面から支援するために、内閣府が提供する、産業構造や人口動態、人の流れなどを可視化したシステム）のデータに照らして、気仙沼クルーカードの利用実績を分析したところ、12～1月の宿泊者数は低迷しているが、売り上げ自体は悪くないことがわかった。この結果から、「冬季の観光客を日帰りさせてしまっている」「うまくやれば閑散期だからと諦めていた冬季にも、観光の山場をつくれる」

という仮説を生み出した。

そこで、クルーカード利用者に対して冬の気仙沼観光に期待することについてアンケートを実施。すると、牡蠣などのグルメや温泉ツアーのニーズが高いことがわかり、冬に訪れてくれそうな観光客像が徐々に明確化してきた。それらを踏まえて、店舗などにサービスの提供を働きかけた。冬の観光客は牡蠣を求めているなど、具体的な要望やイメージに基づく相談が可能なため、対策を具体化しやすくなった。

施策の結果は、クルーカードを通じて検証できる。取り組みを始めた年の冬は、前年同期に比べてカード利用者が約2倍、取扱額は約1・9倍となった。結果が「見える化」されることで、効果の評価はもちろん、加盟店とも結果を共有できるので、良い結果が出ればやる気アップにつながり、参画する店舗数も増加する好循環が生まれている。

気仙沼のように新たに地域ポイントカードを発行し、データ収集から始めるのはハードルが高いかもしれないが、自治体はすでにたくさんのデータを保有しており、データの宝庫だ。データを集めるだけではなく、分析し、アクションにつなげるアプローチこそ、財源の限られる中でより効率的、効果的な施策と言える。

なお、気仙沼のように観光を独自価値として追及していく場合、時には割り切りとも言える判断が必要になることがある。特に、誘致がうまくいきすぎた場合だ。世界的な観光地として有名なフランス・パリの事例で説明しよう。人口約6000万人のフランスには、毎年約9000万人の観光客が訪れる。そして、その多くがパリを訪問する。これをオーバーツーリズム、あるいは観光公害と呼ぶ声もある。

実際、パリに住む私の友人が、「パリでは市全体が博物館なので、すべてのレストランが観光地価格だ」と嘆いていたのを覚えている。観光客があまりにも多すぎるため、宿泊施設などのインフラが不足し、治安上の問題や混雑によって地元住民の生活や環境に支障を来しているのだ。

このため、（一物多価などで市民の生活費を抑制しつつ）観光客向けの物品やサービスの単価を上げて観光客の質を上げたり、観光地における生活空間との分離、動線コントロールなど、オーバーツーリズムに適切に対応していく必要がある。

もちろん、多数の観光客がフランスやパリの経済を支えているのは明らかな事実だ。フランス政府やパリ市長は、究極的には何を優先すべきかの決断を迫られている。自らの独自性をどう位置づけ、どんな街づくり、発展の仕方を目指すのか。明確なビジョンを持ち、それを市民に対して丁寧に伝えていく必要があるだろう。

［参考資料］

・「気仙沼流ＣＲＭ実践塾」（じゃらんリサーチセンター『とーりまかし』vol.57、2019年9

月号、http://ebook.jalanresearchcenter.net/terimakasih/057/)

［事例6］CCRCを活用した地域活性化――石川県金沢市「シェア金沢」(http://share-kanazawa.com/)

内在価値の発掘の最後の事例として、少し毛色は異なるが、数年前から、地方創生や超高齢社会における解決策の一つとして取り上げられることが多いCCRCの取り組みについて触れておきたい。CCRCとはContinuing care retirement communitiesの略で、日本語に訳すと「高齢者が健康な段階で入居し、終身で暮らすことができる生活共同体」のこと。高齢者介護の一つの課題として、介護が必要になったタイミングで自宅から高齢者施設などに移ると、環境変化による物理的な負荷や既存コミュニティとの分断、心理的負荷が高いといったことが指摘されている。それが原因で、高齢者のQoLの低下や、さらなる老化の進行を招くことがある。そこで、CCRCでは、新たな生活・コミュニティに、まだ元気なアクティブシニアのうちに移住し、介護度の進展に伴い徐々に介護サービスを加えていく。アメリカ発の高齢者住居の考え方として広まった。

日本では、石川県金沢市の「シェア金沢」や、千葉県千葉市の「スマートコミュニティ稲毛」が有名だ。ここでは、シェア金沢を紹介しよう。

シェア金沢は、高齢者や障がい者、子ども向けの福祉の取り組みに力を入れてきた宗教法人が中核となってCCRCに取り組んでいる。特色として、地域住民や大学生など、多世代の人々をごく自然に高齢者コミュニティに関わらせる仕組みがある。

例えば、温浴施設は地域の人々にも開放されており、シェア金沢に居を構える高齢者だけでなく地域住民にとっても憩いの場となっていて、彼らの所属意識を高めている。ほかにも、施設内の駄菓子屋の店番を入居者が当番制で担当し、近所の子どもたちと触れ合う機会になっている。また、施設内にボランティアを条件とした大学生向けの安値の住居を用意したり、若い世代との交流促進も図っている。高齢化が進む日本において、シェア金沢は、一つのモデルケースになるかもしれない。

内在価値を発掘し、独自価値として生かしている6つの事例を見てきた。これらには、成功の要と言える共通点がある。データ分析を取り入れながら、地域資源を活用した独自価値を見いだし前面に打ち出す。外部の資金や投資を呼び込む。多様な人を巻き込む。そして、始めたからには粘り強く、時には柔軟に進化させながら継続的に取り組む。この成功パターンをぜひ参考にしてほしい。もちろん、差別化領域における内在価値を発掘する際には、自己満足ではいけない。各地域、各人が内在価値だと思うものであっても、他地域との比較によって「競争優位性」が見いだせなければ、成功する可能性は低いからだ。

提言
2 他都市との連携で、共創価値を生み出す

地域が各々の強みを生かした個性を打ち出すことが理想だが、一方で、1700以上あるすべての自治体が、1700通りの特化・差別化戦略を打ち出すのは現実的ではない。そこで、自治体によっては、行政区分にとらわれず、隣接地域や遠隔都市など複数地域で、目的に応じて連携・協調して共創価値を生み出す発想の転換が求められる。ここでは、「近隣生活圏連携型」「近隣観光資源連携型」「遠隔観光テーマ連携型」「広域経済圏連携型」に分けて、連携の取り組みを紹介していく。いずれのケースでも、次の3つが成功要因と言える。

- 今までの常識にとらわれず、ユーザー目線でニーズを分析・理解する
- 競争領域と協調領域を峻別して連携する
- 協調領域においては、QoLのトータルバリュー最大化を強く意識する

まずは、「近隣生活圏連携型モデル」から見ていこう。

近隣生活圏連携型

民間で言う一種のジョイントベンチャーのような緩やかな連携の仕組みは、徐々に自治体でも浸透しつつある。国は「圏域マネジメント」という概念のもと、高度医療や教育、交通、商業施設など、個別自治体ごとに維持・立地が難しい場合に圏域ごとに各種計画を策定し、自治体が役割分担することを提唱している。具体的施策として、2009年から人口5万人以上の中心市とその近隣市町村の連携を促す「定住自立圏」や、2014年から人口20万人以上の中核市とその近隣市町村の連携を促す「連携中枢都市圏」などを打ち出し、地方交付税などを通じた財政措置支援を行っている。2018年4月時点で「定住自立圏」として121圏域、「連携中枢都市圏」（詳細は、総務省「自治体戦略2040構想研究会 第二次報告」参照 https://www.soumu.go.jp/main_content/000562117.pdf）」として28圏域が認定された。

こうした連携モデルを、ここでは「近隣生活圏連携型」と呼ぶことにする。具体的な事例として、中播磨圏域の事例を見ていこう。姫路駅周辺を中核とした鉄道沿線の2市2町（兵庫県姫路市、たつの市、太子町、福崎町）の連携だ。

まず、機能別に、姫路駅周辺を「広域都市機能集積地区」に、鉄道沿線上の各地域を「地域都市機能集積地区」に二分した。前者は、高度で多様な機能を集積・強化し、県を代表する顔としてふさわしい風格のある都市空間の形成を目指す。後者は、広域都市機能集積地区と連携しつつ、広域行政機関、高度医療施設、大規模商業施設などの都市機能を維持・充実することを目指すと同時に、ほかの地区との距離を勘案した施設配置や、連携による相互補完について考慮し、必要に応じて将来的な統廃合も視野に入れている。

これは、画期的な取り組みと言える。民間と異なり、公平性の担保が最重要課題である自治体にとって、地域の多様性や利便性が減る可能性のある都市機能の統廃合を明記するのは、容易ではない。自治体がそれくらい追い詰められているという背景もあるが、勇気を持って現実を直視し、計画を策定したことに敬意を表したい。

また、都市機能面だけでなく、広域的な居住のあり方についても整理している。鉄道やバス路線の主要交通網へのアクセス可能な圏域を基本として、「居住誘導推進区域」を設定した（詳細は、播磨圏域鉄道沿線まちづくり協議会が発表している「中播磨圏域の立地適正化の方針」を参照）。都市機能集積地区を居住誘導推進区域として定めたことは、指定されていない地域の緩やかな撤退を示唆すると同時に、姫路市の周辺自治体はベッドタウンとして機能することで生き残っていく戦略だ。

近隣観光資源連携型

比較的近隣にある自治体同士が、観光客を取り合うのではなく、むしろ観光コンテンツを連携させることで新たな価値を創出し、全体のパイを大きくする。こうしたパターンをここでは「近隣観光資源連携型」と呼ぶことにする。事例として瀬戸内海をめぐる客船宿「瀬戸内ガンツウ」の取り組みを紹介したい。

7県にまたがる瀬戸内海という観光資源をフル活用したクルーズ船が、瀬戸内ガンツウ(https://guntu.jp/)だ。漁で時折網の中に混じるイシガニのことを、地元では親しみを込めて「ガンツウ」と呼んでおり、そのカニのように、お客様のみならず地元の人たちにも長く愛される船になってほしいと命名された。

瀬戸内ガンツウのコンセプトは「せとうちの海に浮かぶ、小さな宿」。客室は19室しかなく、豪華客船とは一線を画す。世界中の観光地やホテルに行きつくしている人や、特別感のある体験を求めている人をターゲットに、2泊3日で一人40万円からという高価格帯ながら、数カ月先まで予約がいっぱいだ。こうした瀬戸内ガンツウの予約状況を見ると、日本にはまだ本格的な富裕層向け観光コンテンツが少なく、増加の余地があると感じる。

宿泊施設は木材をふんだんに使用。部屋には露天風呂や縁側が設置され、ゆったりと流れる海を見ながら入浴や縁側での時間を楽しめる。食事は、ミシュラン一つ星の老舗和食店の料理長が監修する日本食がメインだ。

尾道を拠点に、岡山県から山口県まで、瀬戸内の様々な島をめぐる航路を設定しており、直島のアートを見にいくルートもあれば、地元の漁業見学や、厳島神社に陸からの参拝客が来る前に海から参拝ができたりするルートもある。

和を全面に打ち出した特別感を演出していることが外国人観光客から支持され、タイム誌の「世界で最も素晴らしい場所 2019」の宿泊地部門にも選ばれるほど、注目度が高い。瀬戸内の国際的知名度向上にも間違いなく一役買っている。

従来、瀬戸内地域で訪日観光として認識されていたのは広島だけだった。しかも東京から京都までのゴールデンルート（定番の観光ルート）から外れていることから、広島は主に欧米系外国人が関西から日帰りで立ち寄る場所だった。瀬戸内ガンツウは、瀬戸内という共通の観光資源を高品質な体験でつなぎ、全体として魅力を高めることで、日帰り観光地であった瀬戸内を特別な体験をするための目的地へ変貌させた。

なお、瀬戸内の自治体や企業は、瀬戸内ガンツウに限らず、広域DMO（Destination Marketing/Management Organization の略。観光地を活性化させて地域全体を一体的にマネジメントする組織）にも意欲的に取り組んでいる。瀬戸内トリエンナーレで国内外に有名な直島から広島、山口にいたるまでの広域な観光資源をブランド化すべく、盛んに地域間連携が行われている。

遠隔観光テーマ連携型

多くの日本人にとって国内旅行は数日単位で、1回の旅行で訪れる目的地も2、3カ所がせいぜいだろう。そのため、国内観光をメインに発達した従来の観光業で、広域観光という概念はあまり普及していなかった。しかし、外国人観光客が多く訪れるようになると、事情は変わってくる。近隣同士での観光連携に加え、より広い地域で連携する「遠隔観光テーマ連携型」について見ていきたい。

長野県の松本空港と北海道の新千歳空港を結ぶ国内線の利用者数は、2008年から2018年にかけて2倍以上の伸びを記録している。その理由は、外国人スキーヤーによる白馬とニセコのスキー場のハシゴだと考えられている。両スキー場は、海外スキーヤーから見た日本の代表的スキー場だ。せっかく日本に来たからには、両方のスキー場を堪能したいというニーズがあり、両地域は積極的な連携施策を模索しつつある。ほかにも、福岡空港と松本空港を結ぶ国内線の利用者数も、同期比で6倍以上となった。その理由の一つとして、九州と信州の山岳観光を同時に楽しむニーズがあると考えられる（参考資料：日本経済新聞2020年1月16日「チャートは語る（上）スキー・ゴルフ ひとっ飛び 国内線で観光客呼ぶ」）。

これまで、同じ旅程の中に、白馬とニセコのスキー場を組み入れることは想像しづらかった。しかし、外国人のように一定期間滞在している旅行者向けには、スキーなど特定の体験やテーマで遠隔地同士が連携し、より満足度の高い体験を提供する、という新しい手法が効果を発揮している。

連携テーマは実に多様だ。例えば、会津若松市では、京都市と、幕末や武士文化などのテーマで連携できないか考えている。会津若松市には空港がないため、移動手段として、「猪苗代湖―琵琶湖間」の飛行艇を飛ばせないかと、現在、様々な働きかけをしている。理論上、飛行艇であれば、湖や湾さえあれば空港建設の負荷なく場所をつなぐことができる。東京や大阪などの大都市を経由しなくても、地方都市同士の移動が実現できるのだ。

広域経済圏連携型

地域間連携・協調の最後のモデルとして、「広域経済圏連携型」について紹介したい。地域を超えた産業連携により、新たな価値を創出する狙いがある。

例として、農作物の海外輸出における広域経済圏連携を見てみよう。

これまで、日本の農産物輸出は地域・自治体ごとにブランディングし、プロモーションするのが主流だった。しかし、農産物は収穫や鮮度の関係で出荷期間に限りがあるため、長期間の販売が難しい。また、北海道などブランド力がある地域を除いて、地域単体で知名度を上げるのが容易ではなく、日本の地域間で安売り競争が起きる課題があった。

そこで、農林水産省の指導のもとで始まったのが、ジャパンブランドでの一貫したブランディングと産地間連携（詳細は、第10回農林水産業の輸出力強化ワーキンググループ資料参照 https://www.kantei.go.jp/jp/singi/nousui/kyouka_wg/dai10/siryou4-2.pdf）だ。例えばブドウでは、西から東まで産地間で連携し、同じ品種を時期がずれるように順番に出荷したり、巨峰、ピオーネ、シャインマスカットなどの品種を旬に合わせて出荷するなどのリレー出荷を実施している。

また、品目を超えたオールジャパンでの連携もある。夏から秋が旬のぶどうと、冬から春が旬のかんきつ類を組み合わせて出荷するとともに、旬な果物がない時期はジャムなどの加工品を提供する。香港のスーパーなどでは、商品の設置場所を通年の棚単位で確保するケースが多いので、こうすることで1年を通じて商品提供が可能になる。

この取り組みは、日本の農作物輸出全体のパイを大きくしながら相手国の商慣習に共同で対応し、しかも協調領域（棚を共同で確保する）と競争領域（商品の質）をうまく切り分けて、互いに高め合っている。農作物に限らず、様々な物やサービスの輸出でも参考にすべき好事例だ。

以上、4つの連携モデルについて紹介してきた。繰り返しになるが、従来の常識にとらわれずに、ユーザーや消費者目線でのテーマや体験を重視すること、競争領域と協調領域を峻別して連携していくこと、協調領域においては視点を広く持って新たな連携先を見いだし、地域全体でパイを大きくし、全体を最適化していくことが成功の要である。今後、デジタル化やグローバル化がさらに進展すれば、より一層画期的な連携が可能になる。各地域の自治体・住民・地域企業は、常識にとらわれない、大胆で柔軟な発想を持つことが重要だ。

第8章

インフラ運営・サービスコストの徹底削減

三重苦を乗り越える
デジタルの知恵

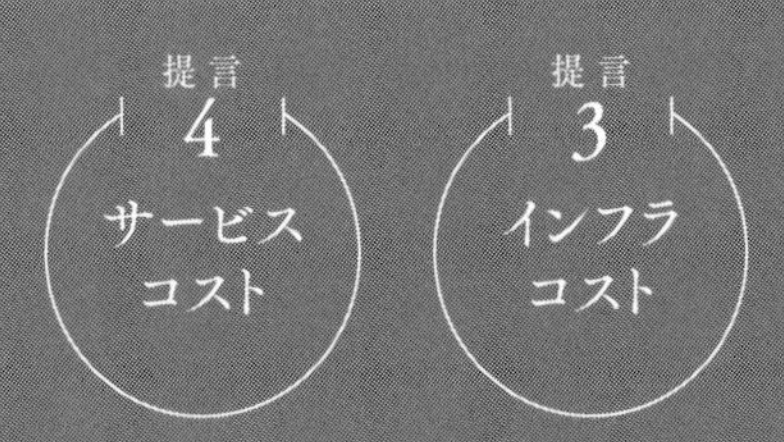

第7章で紹介した取り組みによって、各地域が価値を向上させたとしても、日本全体で人口が減少し、少子高齢化が進む中では、自治体・企業とも生産性向上やコスト削減は必須だ。コスト削減を怠れば、価値向上の原資獲得もままならない。人口減少が避けられない時代においては、様々なコストを最低限に抑え、それを価値創出の原資にしていく必要がある。

提言

3

社会インフラ維持のため、インフラコストを構造的に効率化する

日本のインフラが抱える三重苦といえば、①人口減少による維持財源の頭打ち、②維持するための労働力不足、③更新タイミングの波——がある。これらを克服するには、地域の規模や特性を踏まえた構造的な効率化が求められる。

大都市郊外における大都市との連携とコンセッション

例えば、大都市郊外の地方都市では、大都市と連携し、一部のインフラを除いてコンセッション（公共施設などの運営権を売却する方式）によって民営化を推し進めることが重要と考える。というのは、インフラ運営の多くを中核となる大都市に委託して民営化すること

で、IoTによるモニタリングなどの運用をデジタル化でき、一定の利益が見込めるからだ。実際、都市ガスの提供範囲を見ると、大都市圏では複数の自治体にまたがって提供されている。他のインフラにおいても同様に、「提言2」で述べた「近隣生活圏連携型」のような広域化も踏まえつつ、民間運用による一定の規模化とデジタル活用を進めることが望まれる。

中規模都市におけるコンパクトシティ化とインフラ一括運営

一方で、大都市圏を形成しない中規模地方都市では、分野横断の水平統合による効率化が望ましい。

現在は、規制や歴史的な要因もあり、エネルギー、通信、道路、水道、公共施設などの運営主体や委託先はバラバラだ。しかし、人口減少の時代においては、バラバラの状態で維持していくことは難しい。解決策としては、中規模都市（例えば、都市ガスが存在するような地域）で各インフラの面倒をみる経営体をつくり、そこにオペレーションをまとめることなどが考えられ、こうした方法であれば、デジタルを活用した全体最適を実現することが可能だ。

最適化といっても、単なる業務オペレーションの効率化だけでなく、例えば、電力のピークシフトと、ＥＶバスなど電化された公共交通機関の運行最適化を同時に実現し、インフラサービスそのものの最適化まで実現する。さらには、インフラ維持コストの低減にインセンティブを持つ主体が開発を管理することで、コンパクトシティ化が進む。

スウェーデン中部のヴェステロース市（https://www.vasteras.se/）では、メーラル・エナジー（Mälarenergi）という地域公共サービス会社が水道、熱供給、公共施設資産管理、電力（ＶＰＰ、バーチャルパワープラント＝仮想発電所）、公共サービス、ＥＶ充電サービスなどを統合し、運用をデジタル化して全体最適化することで、効率的な都市運営を目指している。

過疎地における分散型インフラ

過疎地の場合はどうだろうか。過疎地においては、将来的には思い切った分散型インフラを導入するケースが出てくるだろう。運営もコミュニティベースでの管理が前提だ。例えば、電力は分散型電源と蓄電池を中心としたオフグリッド、コミュニティ内でのＶＰＰの活用が考えられる。電力以外でも、水道では地下水を用いたマイクロ水道局、通信なら衛星などによる超遠隔通信の確保、交通は自動運転ベースでのマイクロコミューター、物流はドローン宅配、道路や施設管理はコミュニティが非営利ベースで行っていく。

第５章のテクノロジー動向でも紹介したように、必要となる技術は揃いつつある。エネルギー領域では太陽光発電パネルの発電効率の向上や蓄電池の低価格化が進んでいる。水道では、地下水活用システムにより、低コストで地下水を活用できるようになる。こうした最新技術なども取り入れていけば、地域によっては分散型インフラがコスト的に優位となるだろう。

こうした発想は、日本におけるインフラ維持の考え方を大きく変えるものであり、新たな生活モデルとビジネスモデルを提示する。過疎地での生活を選択する市民は、前述の通りコミュニティベースでのインフラ管理となることから、自分たちの生活に必要なインフラの構築、維持に自ら関わっていくという、これまでにない考え方を持つことが重要だ。

提言

4

デジタル活用と地域協調で、サービスコストを効率化する

サービスコストの削減についても同様だ。自治体か地方企業かにかかわらず、効率的なオペレーションの実現は、重要な課題だ。サービスコスト削減の手法には様々なものがある。ここでは、比較的自前で進められるものとして、RPAやAIなどテクノロジーを活用した効率化の仕組みの導入と、業務のアウトソーシングについて紹介したい。また、より広範なエコシステム連携によって実現すべきものとして、共通プラットフォームの構築

と活用も重要だ。

ＲＰＡやＡＩを活用した自治体におけるオペレーション最適化

ＲＰＡやＡＩなど、デジタルを活用したオペレーション最適化は、国内外を問わず金融機関での進展が顕著だ。アクセンチュアでも、金融機関をはじめ、多くのお客様に対してＲＰＡやＡＩを活用したオペレーション最適化を進めてきたが、そうしたプロジェクトを通じて次の教訓を得た。

・ゼロベースで業務プロセスの見直しを最初に徹底して行うこと。
・効率化によって捻出された余力を、顧客接点など付加価値の高い業務に回すこと。
・テクノロジーの徹底活用、必要な人材の採用とリスキリングを行うこと。

例えば、三井住友フィナンシャルグループでは、ＲＰＡ活用に先立って、本社の様々な部門の不要なプロセスや重複機能を統廃合した。初年度だけで１００万時間の業務時間削減を達成し、２０２０年までに、合計３００万時間以上（約１５００人分の業務量）の削減を見込んでいる。ＲＰＡを活用したソリューションは、自動化による効果が大きいコンプライアンスやリスク管理の部門だけでなく、営業・企画部門の情報収集や支店支援機能、預金・融資・外為分野で大量の情報を処理する業務など様々な分野に導入された。

また、伊予銀行においては、「デジタル・ヒューマン・デジタルバンク」を合い言葉に、デジタルの得意分野はデジタルが担い、行員は人にしかできない高付加価値分野に注力するというコンセプトを中核に据えた改革を進めている。これまですべて人が担っていた業務のうち、顧客接点とオペレーションをデジタルが、コンサルティングなど創造力・提案力が必要な分野を人が担当することで、これまでにない革新的ビジネスモデルへの転換を実現した。

その中で中心的な役割を担ったのが、AIを活用した革新的プラットフォーム「チャット・コロボット（Chat Co-Robot）」だ。顧客は端末を使ってチャット・コロボットと会話しながら、各種手続きを完結できる。従来、不満の要因となっていた待ち時間や手続きの時間の短縮を実現するとともに、行員は人間にしかできないコンサルティングや相談に注力できるようになった。

民間と自治体では事情が違う、と思うかもしれないが、必ずしもそうではない。例えば、東京都の渋谷区は、非常に大胆な目標を掲げてデジタル化を推進している。それは、「区庁舎に誰も来ない、来庁者ゼロ」というものだ。つまり、すべての区民サービスをデジタル化し、さらには公文書・庁内コミュニケーションの電子化、職員業務の全自動化まで想定している。

アウトソーシングの活用による効率化

また、海外のケースではあるが、アメリカでは、ほぼすべての自治体業務を外部化している市が複数ある。例えば、ジョージア州サンディスプリング市は、2005年に郡部から独立して市制を開始した際、公共サービスの大部分を民間事業者に委託する包括的民間委託で注目を集めた。その後、2010年には外部調達方法の見直し、2019年には多くの業務の内製化に踏み切るなど、行政とは思えない変革スピードで業務最適化を進めている。

実際、市長・議会など政策立案機能と消防・警察、市長の幹部スタッフ8名を残して、すべての業務を包括的に民間に委託した。2010年の改革では1社に丸ごと委託していたが、財務、IT、コミュニティ開発、通信、裁判所運営、公園・リクリエーション、公共事業をそれぞれ別の会社に委託し、年間700万ドルのコスト削減を実現。その後、2019年の改革では一部の業務を除いて内製化（コールセンター、911（緊急）通報、公共事業、裁判所運営などについてのみ外部化を継続）し、183名分の仕事が市の直轄に移行。5

年間で１４００万ドルの節約を見越している。今後の市場環境の変化に応じて再度外部化する可能性についても言及しており、戦略的にアウトソーシングを活用している好例と言える。

２０１７年に発足したジョージア州ストーンクレスト市では、市長、市議会議員を除く全職員を民間企業が雇用し、民間企業によって自治体運営がなされている。民間委託を実施後に改善点も出され、委託範囲や委託方法、権限の持たせ方などについて試行錯誤もあるが、公共サービスの大胆な民間委託そのものについては支持されている。

財源の限られる日本の自治体においても、また自治体を規制する国においても、テクノロジーやアウトソーシングなどの大胆な活用を積極的に推し進める時期が来ている。

［参考資料］
・サンディスプリング市ホームページ「市の歴史と文化」（http://www.sandyspringsga.gov/government/city-history-and-culture/public-private-partnership）
・ラスティ・ポール市長へのインタビュー記事、Sandy Springs to bring most government services in-house, ending muchof landmark privatization, Reporter Newspapers, May 14, 2019（https://www.reporternewspapers.net/2019/05/14/sandy-springs-to-bring-most-government-services-in-house-ending-much-of-landmark-privatization/）

・ストーンクレスト市の年次報告（https://www.stonecrestga.gov/pdf/Stonecrest_AR_2017.pdf）

中小企業を束ねたコネクテッド・インダストリー

1社単独ではなく、エコシステム全体で取り組むべき効率化もある。その代表例の一つが、中小企業のオペレーション効率化だ。

日本は他の先進国と比べて生産性が低いとよく指摘されるが、その要因の一つがサービス業や中小企業にあると言われている。日本には非常に多くの中小・零細企業が存在するが、投資余力のなさや、デジタルに関するリテラシーの低さなどが原因で、デジタル化による効率化の恩恵を残念ながら受けられずにいる。本来なら、デジタル化による効率化は、中小企業にこそ恩恵をもたらすはずだ。

そのような中、例えば、福島県会津若松市では、コネクテッド・インダストリーを旗印に、インダストリー4・0を地方の中小企業で実現しようとしている。地元中小企業群と地元ITベンチャー、およびアクセンチュアなどの企業が協業し、共通で使えるソリューションを開発中だ。中小企業庁からの支援も入ることから、会津若松市に限らず、全国の中小企業で汎用的に使えるデジタルサービスを目指しており、日本の中小企業の生産性向上に貢献できればと考えている。

サービスコストを下げる都市OS

一方、サービスコスト削減の先進的なツールとして注目されているのが、各地域が共通で活用できるプラットフォーム「都市OS」である。

都市OSとは「スマートシティ実現のために、自治体および地域等が共通的に活用する機能が集約され、スマートシティで導入する様々な分野のサービス実現を容易にさせるITシステムの総称」だ。つまり、スマートシティを実施するうえで必要な機能や共通APIを、統一ルールとして規定したシステムである。

日本全体がデジタル化を推進し、様々な市民サービスを展開していく中で、従来のように各自治体が個別にシステム構築をしていたのでは非効率だ。そこで、どの地域にも共通で必要となる基本的な機能や役割を整理し、多地域展開を前提に開発されたのが「都市OS」だ。都市OSを使うことで、どこかほかの地域で構築された便利なスマートシティサービスが、別の地域でも容易に展開できる。

都市OSのコアとなるアーキテクチャーは、複数の小さなサービスをAPIによって連携させるマイクロサービスだ。この仕組みでは、既存のサービスやデータを非常に柔軟に利用できる。

ちなみにアクセンチュアは、2020年3月、アクセンチュア、NECをはじめとする6社が受託した内閣府・新エネルギー・産業技術総合開発機構（NEDO）による研究事業を通じて、都市OSを含むスマートシティのリファレンスアーキテクチャー（スマートシティをつくりあげるに当たり、各地域が参考とすべき取り組み・事業の構造）を定めた（参考資料：「日本型スマートシティに求められる「アーキテクチャーの標準化」https://www.accenture.com/jp-ja/insights/smartcity-architecture）。

例えば、アクセンチュアが会津若松市において提供している地域ポータルサイト「会津若松＋（プラス）」は、グーグルやフェイスブックでログインできる。これは、グーグルやフェイスブックがログイン連携APIを公開しているから可能となる。そのうえ、利用者が同意すれば、すでにグーグルなどが保有している氏名やメールアドレスなどの情報も連携・提供することができる。サービス利用の際、利用者は氏名などの基本情報をいちいち入力する必要がなくなる。会津若松市では、「会津若松＋」と連携して、今後も新たなサービスを実証的に増やすことで、市民の利便性向上を目指している。

このスマートシティ・アーキテクチャーに準拠した都市OSが、今後、日本全国の各地域で導入・実装されていけば、地域間連携による相乗効果も加わり、日本のスマートシティは加速度的に進展し、世界に先駆けたスマートシティ国家となれると確信している。

コラム

会津若松における都市OS

都市OSの実装事例として、会津若松市の例を見てみよう。アクセンチュアの構築したデジタル・コミュニケーション・プラットフォーム（以下、DCPという）を都市OSとして導入・実装している。

次ページの図にある通り、都市OS上に様々なサービスが実装されている。地域ポータルの「会津若松+」や、教育アプリである「あいづっこ+」、母子健康情報が閲覧できるサービス、除雪車の位置情報がリアルタイムでわかるサービスなどだ。また、様々なデータとも接続しており、市が提供するオープンデータ基盤であるD4C（Data for citizen）や、市のセキュアサーバーと接続して、母子健康情報や国保情報などを本人同意のもと、活用可能だ。

こうした都市OSの基本である「データとサービスを分断しAPIで接続する」機能のほか、DCPではさらに、「会津若松+」という名称で提供されているポータルサイトなど、ユーザー目線（市民目線）を意識した機能を備えている。その特徴は次の3つだ。

図8-1：会津若松市のシステム全体概念図

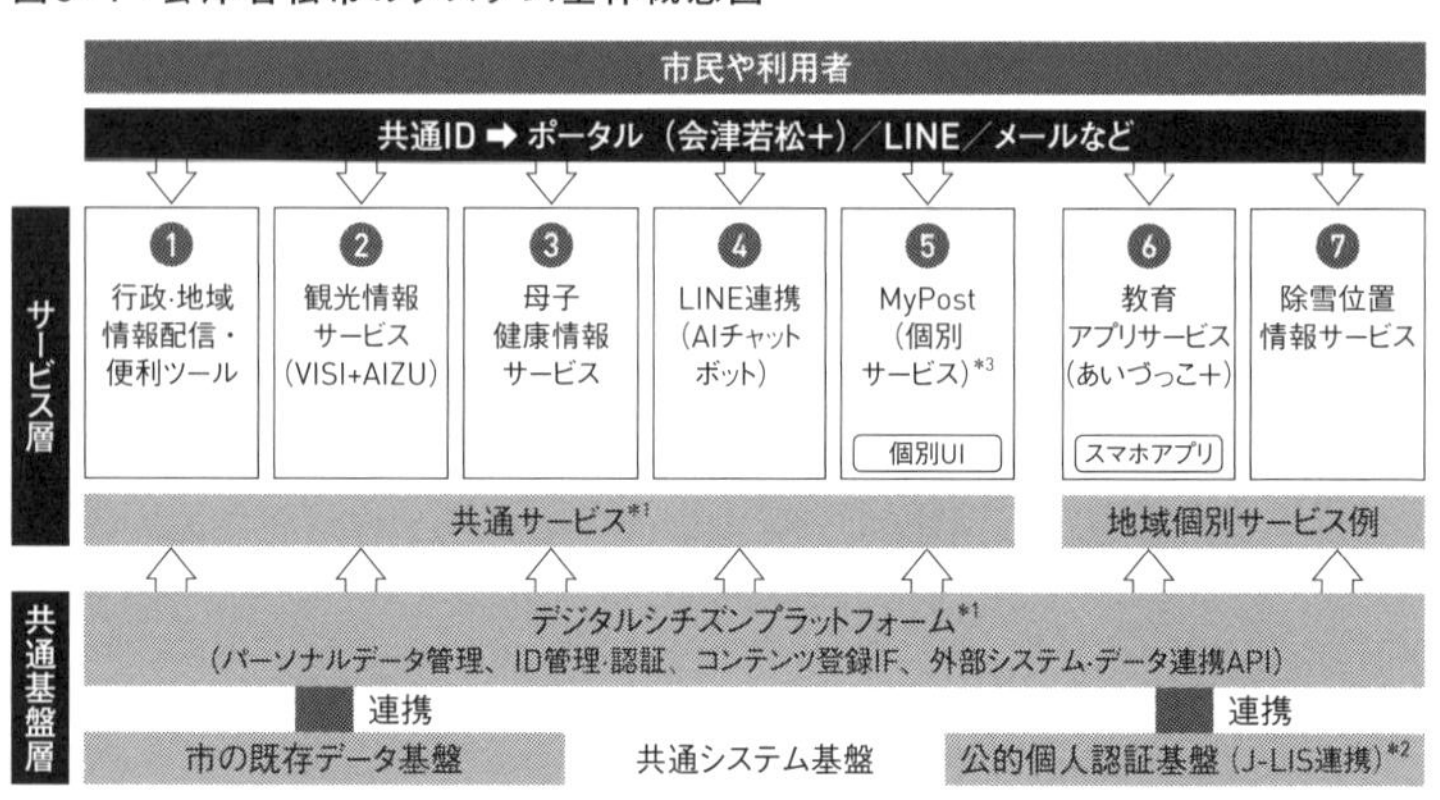

*1　共通サービス提供するためのコンテンツ登録やデータ連携、デザイン（UI）、初期システム設定は個別調整にて実装
*2　マイナンバカード認証には代理機関との連携のための調整･利用費が必要となるためサービス利用時に個別検討が必要
*3　MyPostは日本郵便の実証サービスのため、利用の可否等については日本郵便への確認等が必要（初期サービスには含まない）

【特徴1】都市ＯＳ上で実装されたサービスがガジェットで表示される機能を備えており、行政サービスの利用者（市民）は、どんなサービスが利用可能なのかが一目でわかる。これによって、市民の利便性向上はもちろん、市役所などのサービサーにとっても、新たなサービスを追加したことを市民に周知するコストが削減できる。

【特徴2】様々な都市ＯＳ上のサービスを市民は利用できるが、それらのサービスは基本的にすべて「会津若松＋」のＩＤ（地域ＩＤ）で利用可能だ。これによって、利用者はアプリごとに複数のＩＤやパスワードを管理する必要がない。利便性が上がるとともに、利用者からオプトイン（明示的同意をした人のデータのみを取得する手法）の承諾を必ず取得したうえで、利用者の属性情報（氏名や住所、年齢、家族構成など）をサービス間で共有でき、利用者に何回も同じ情報を入力させる手間を省ける。

【特徴3】 利用者からオプトインで取得した属性情報を活用することで、ポータルに表示するサービスのパーソナライズを実現しているため、利用者にとって常に必要十分な情報が表示されるポータルとなる。各種行政サービスや行政情報は、それぞれにターゲットである市民属性があり、利用者によってそれらのサービスや情報の価値が異なる。例えば、児童手当の手続きに関する情報は、子どもがいる人にとっては重要だが、子どもがいない人はまったく関心がない。このように、重要度の高い情報を表示するポータルをパーソナライズすることで、市民と行政のコミュニケーションの効率を高められる。

ユーザー目線（市民目線）を意識した都市ＯＳを備え、そのうえで各種スマートシティサービスを提供した結果、「会津若松＋」の利用者数は会津若松市の人口の約20％にまで達した。おそらく、都市ＯＳを導入せず、教育アプリ、母子健康アプリ、除雪車アプリなどをバラバラに提供していたとしたら、個々のアプリに同等の機能があったとしても、ここまで利用者数が伸びなかっただろう。そこがまさに、地域に都市ＯＳを導入する意義だと言える。日本全国の都市が効率的、効果的にスマートシティ化するためにも、都市ＯＳモデルが日本全国に広まることを期待している。

都市ＯＳ共通化によるコスト低減は没個性を生むのか？

都市ＯＳの導入や共通化によるコスト低減は、「地方らしさ、文化の多様性を失わせるのではないか」と誤解している人もいる。しかし、その心配はない。星野リゾートの取り組みを例に説明したい。

星野リゾートでは、日本型旅館の良さを生かしながら、宿泊と食事を分離させることで新しい消費者のニーズを捉え、サービス水準の高さによって日本のホテル業で新たなモデルをつくりあげた。その一つに、各地域のホテルにおける地元文化との融合が挙げられる。しかも、それはトップダウンで行われるのではなく、ホテルに配属されたスタッフが地元に溶け込み、地元芸能をホテルのスタッフが習得して宿泊客向けに演じるなど、施設ごとに地元の文化や特徴を生かした独自のサービスを提供している。一方で、オペレーションの最適化・共通化は全国で徹底して行っている。地域性による多様化と、共通化によるコスト削減を両立している好例だ。

都市ＯＳにも同じことが言える。仕組みを導入するだけでなく、その上にどんなサービスや独自性を乗せていくかは地域次第だ。都市ＯＳ導入によるコスト削減で浮いた資金を、地域の特性を生かし、価値を生むためにどう使うか。そこに知恵を絞る必要がある。

第9章

地方再興の実現に向けた具体策

住民・観光客・企業をいかに誘致するか？

実行・戦術

提言7 企業の誘致

提言6 観光客の誘致

提言5 住民の誘致

本章では、実際に地域活性化に必要な住民、観光客、企業の誘致を各自治体がどのように進めていくべきか、具体的なアクションレベルでの要諦を説明する。住民、観光客、企業の誘致と分けて述べていくが、根底となる考え方は共通している。その点について、冒頭で整理しておきたい。

まず一番にすべきことは、自らを知ることだ。

第7章で述べた内在価値、共創価値が、自分たちの地域においては何なのか、徹底的に突き詰めて考えてほしい。会津若松市であれば「ICT産業の集積」、神山町であれば「アート」だ。それが、人口減少時代に生き残るための戦略のコア（核）となる。限られた財源や人材だからこそ、最初の見極めに相応の重きを置いてほしい。

そして、その作業に地域主体で取り組むことが肝要だ。成功している他の自治体の受け売りや、外部の有識者の意見を丸呑みにしてはいけない。成功事例を参考にしたり、有識者をディスカッションの場に入れることは有効だが、主役の座を譲るべきではない。自分たち自身が腹落ちしない追求価値を背負って走り出しても、途中で道を見失ってしまうだろう。

逆説的に思われるかもしれないが、自らの内在価値・共創価値を見極めるには、広い視点で世の中を見渡す必要がある。

社会全体の価値観がどう変わってきているのか、日本あるいは世界の抱える社会課題は何か、テクノロジーの発展が何を可能にしているのか、消費者はどんなエクスペリエンス（体験）を求めているのか、そしてそれらは、未来にわたってどのように変化していくのか。

そうした状況を踏まえたうえで、自分たちの地域資産と照らし合わせながら、地域が実現しうる価値が何かを突き詰めていく。必要とされていない価値を押しつけても、残念ながら長続きはしない。また、広い視点を持つことで、自分たちが価値と認めていなかったものが、意外にも価値の源泉になることがある。

そのうえで、価値を最大化するためのターゲットを住民、観光客、企業それぞれの視点で明らかにし、必要な打ち手を絞り込んで投資する。その際、背伸びしすぎると継続できない。現実に即して長期的な見通しを立て、時には臨機応変に素早い調整をしていく巧みな舵取りが必要だ。

外に向けてプロモーションする段階に入ったら、真摯（しんし）なコミュニケーションを心がけてほしい。誇大広告や誤解を招くプロモーションは、長期的にはネガティブな影響しかもたらさない。住民や観光客、企業の誘致、そのどれもが、一朝一夕に成し遂げられるものではない。息長く、真摯に、誠実に粘り強く続ける姿勢が、最後に実を結ぶ。

こうした前提を踏まえたうえで、まずは住民の誘致から見ていこう。

提言

5 住民の誘致

各地域が魅力的な価値を創出しつつ、コスト削減を実現できたとしても、その地域に人が住み続けなければ、地域としての継続性はなくなる。そのため、住民の誘致や定着のための具体的なアクションが必要だ。

住民の誘致は、自治体にとって直接的には住民税などの納税者という意味で、間接的には地域の消費者という意味で重要だ。一方、これまで見てきた通り、日本全体で見ると人口が減少し、大都市への人口集中が起きている。では、どうすれば地方から大都市への人口流出を減らし、大都市から地方へ人が回帰する流れをつくりだすことができるのか。

住民誘致に関する基本的な流れは、次の通りだ。

①地域価値の明確化

↓

②価値実現を最大化する住民像の特定

↓

③価値の実現・継続・拡大のための投資

↓

④正確な情報発信

各地域が目指すべき価値の実現を最大化する住民像の特定、必要な施策の実施と継続、正確なプロモーションなどが求められる。では、順を追って説明しよう。

［ポイント1］地域価値（内在価値、共創価値）の明確化とターゲット特定

住民を増やすことが喫緊の課題である自治体は多いが、やみくもに一人でも多くの人を誘致・定住化させようとしても、成果が限定的になり長続きしない。繰り返し述べているように、まずは戦略のコアとなる地域価値（内在価値、共創価値）を明らかにし、その価値を最大化する住民像を特定する必要がある。

例えば、ＩＣＴ産業の集積地として生き残りたいのであれば、地域内でＩＣＴについて学んでいる学生が卒業後に大都市に流出するのを食い止める。観光地として生き残りたいのであれば、地域内で観光ビジネスやその周辺ビジネスに従事している人を引き留め、呼び込む。ターゲットとしては、目指す価値の実現に直結する、いわゆる「ティア１」のタ

ーゲットと、間接的に必要となる「ティア2」の人材がいる。各ティアの中でも、性別や年齢層、出身エリアなどの属性に応じて分類して、整理することが可能だ。

ターゲット像が見えてきたら、そうした人材がどこにいるのか、市場に目を向ける。そして、リーチしたい市場の優先度をつける。

アート人材であれば、すでに地域内や近隣地区にいる人材、あるいは域内とゆかりのある人材など、リーチしやすい市場をまずは優先すべきだ。最初から範囲を広げるより、手近なところから順次呼び込んだほうが、費用負担も少なくてすむ。

ターゲットが明確になってきたら、彼ら・彼女らのニーズや移住に際する悩み、課題にも目を向けてほしい。移住を決心する決め手は何か、憶測ではなく、アンケートや行動分析など、ある程度データをもとにして探っていくのがよい。

第4章で紹介した移住に関するアンケート調査を分析すると、一般的には、収入の高い仕事を用意するよりも、仕事の「やりがい」に重点を置いた誘致施策やフォローをすることのほうが求められており、中長期的な移住継続につながる。また、過疎地域においては、子育て支援策や子どもの教育環境の不備などが移住時の不安となり、移住したのに諦めて都心部に戻る理由の上位を占める。こうした不安の解消につながる施策が欠かせない。もちろん、この調査は日本全国をターゲットにしたアンケートなので、地域を絞ってターゲット人材を深く知るための調査をすれば、新たな示唆が得られるだろう。

［ポイント2］価値の実現・継続と拡大への投資

具体的に地域改革、改善アクションを起こすフェーズになったら、「ＩＣＴ集積地化」「観光地化」といった価値実現のために必要な施策に加えて、住民ターゲットが求めるニーズに対応した施策（子育て環境の整備や、既存住民と溶け込むための施策など）を併せて講じていく。当然、ありとあらゆる施策をすべて実施することはできないので「重要度」と「実施の順番」を整理する必要がある。重要度の決定に当たっては、究極的に地域が目指している価値との整合性や、それに対する影響度の大きさ、継続可能性やリスクとのバランスといった視点が欠かせない。

実施の順序については、施策間の因果関係や前後関係から大筋を決めたうえで、状況を見ながら臨機応変に対応できる余地を残す必要がある。今、ビジネスの世界では「アジャイル（俊敏さ）」という言葉が当たり前のように使われている。これは、地方創生においても同様だろう。

また、実現性や継続性を見極めていく際には、テクノロジーの活用、住民の巻き込み、産官学を超えた連携、時には自治体の枠組みを超えた広い連携といった視点も重要だ。今使っているテクノロジー、今地域にいる人材やアセットだけで対策を考えていては、選択肢を大幅に狭めてしまうことになりかねない。

［ポイント3］正しい情報発信

私たちが実施した移住に関するアンケートの結果から、マイナス面も含めた正しい情報発信をすることの大切さが明らかになった。事前の情報提供不足や、想像と現実のミスマッチがあると、せっかく他地域から住民を呼び込めても、短期の移住で終わってしまう恐れがある。

例えば、子どもと一緒に移住したものの、移住をやめて都市に戻ってしまった人のアンケート結果を分析すると、子ども関連の項目について、移住前の期待と移住後の現実にミスマッチがあることがわかる。過疎地などで子育て支援や教育の現状がそこまで充実していないケースであっても、それをある程度まで理解・覚悟したうえで移住してきた人は、豊かな自然の中で子育てできることに満足を覚える。一方、理解しないで移住した人は、子育て支援や教育環境の整備不足に落胆し、移住を終了してしまうのだ。

要は、教育環境も自然も、事前に十分情報を得て正しく理解していれば、移住後に直面した出来事や環境を前向きに受け止められるが、事前に抱いていた期待値とのギャップが大きいとネガティブな反応となる。

個人の情報収集力の問題もあるかもしれないが、自治体がいいところを過剰に、悪いところを過少にPRしていることも一因と考えられる。移住は中長期的に定着しないと効果が薄く、特に、移住促進の補助金を移住者に提供している自治体であれば、マイナス効果が大きい。そのため、地域の良い点も悪い点もありのままに伝え、それでも来てくれる人の誘致を支援すべきだ。「悪い点まで伝えたら来てくれる人がいなくなる」というのであれば、住民を誘致する前に、魅力を増やすように必要な改善をすることが重要だ。移住希望者だけではなく、移住を途中でやめてしまう人の声もきちんと拾い、改善とコミュニケーションを継続させていこう。

多くの自治体が住民を獲得しようと苦悩しているが、残念ながら、住民を増やす特効薬はない。地道に着実に誠実に、こうした取り組みを進めていくことが求められる。

コラム

外国人材の活用をどう促進するか？

シンガポールは、積極的に移民政策を進めていることで有名だ。メリハリをつけた政策をとっている。例えば、ＧＩＰ（国際投資家プログラム）と呼ばれる超富裕層向けの永住権取得プログラムがある。永住希望者が所有する企業の直近売上高が最低約40億円などの条件を満たした人が、シンガポールに最低約2億円の投資をすることで申請ができる。ＧＩＰを含め、永住権や就労ビザの発行に関するシンガポール政府の方針はかなり明確で、経済的にシンガポールに貢献してくれる人か、アイデンティティを含めてシンガポール人になってくれる人をターゲットにしている。

日本においてはどうか？

政府は、移民という言葉を避け、外国人材の受け入れ・共生という表現で取り組みを進めている。２０１９年４月には、新在留資格「特定技能」の制度が創設された。

一方で、言語の壁や文化の壁、あるいは、家を借りるための保証人が見つからないなど生活上の不便、家族受け入れや社会保障の問題など様々な課題も顕在化している。そのせいもあり、出入国在留管理庁の発表によると、２０１９年12月末時点での同制度による受け入れは１６２１人と、当初の初年度見込み４万７５５０人との乖離が大きい。

そうした中、現実的なアプローチとして紹介したいのが、企業（特に各国に拠点を持っているグローバル企業）がハブとなって外国人材を受け入れる事例だ。例えば、アクセンチュアの日本国内の社員数は約1万4000人（2020年1月末時点）だが、世界には約50万5000人の社員がいる。日本でのビジネスが順調なこともあり、アクセンチュア日本法人では海外の同僚を積極的に日本に連れてくる活動をしている。

具体的には、アクセンチュアの海外拠点に向けて、日本の素晴らしさや日本で働く魅力を啓蒙し、定期的に日本の社員を海外に連れていって直接勧誘をしている。興味を持った海外人材には、日本で生活と仕事をスムーズに開始してもらえるよう、受け入れ体制を準備している。

アクセンチュアとしては、あくまでAIやクラウドなどの先進技術に関する人手不足解消の施策として行っているわけだが、その結果、東京やそれ以外の拠点（福島県会津若松市や大阪、福岡、北海道など）で働く高度な技術を持った外国人材が増えている。中には、一時的な滞在にとどまらず、長期的に日本で生活することを選ぶ人も出てきている。

アクセンチュアでの経験を踏まえると、企業側が持つ特性（ネットワーク力や受け入れ能力）や課題（人材不足）と、日本社会や地域の抱える少子化や労働不足の課題をより連携させ、ともに一体となって取り組めれば、今以上に効率的、効果的な外国人材の活用ができるのではないか。

提言

6 観光客の誘致

日本全体の人口が減少する中、住民の誘致はある意味、少ないパイの取り合いで、そこには限界がある。そこで重要になるのが、観光客の誘致だ。その地域に住民票がなくても、観光客数が一定量あれば、彼らを第二の住民とした地域経済循環を支える仕組みも十分に考えられる。

これまで、日本は訪日外国人観光客数を伸ばしてきた。新型コロナウイルスの影響で、訪日外国人数の回復には時間がかかるかもしれないが、中長期で見れば戻ってくるはずだ。地域産業としての観光を伸ばしていくには、訪日外国人を多様な観光地に誘導し、客単価が安定的に高い層に来てもらう必要がある。では、国内外を問わず、第二の住民である観光客をどうやって誘致したらいいのか。答えは、マーケティングの世界では、ある意味、当たり前に行われていることにある。つまり、ターゲットとテーマの選択と集中、適切な認知方法を用いた潜在顧客へのリーチ、観光客目線でのプロモーション・受け入れ環境、データに基づくPDCAを地域で真面目に回すことなどだ。

もちろん、目指すべき実現価値の中で、「観光」の比重は地域によって異なる。観光こそがコア中のコアとなる地域もあれば、優先度の低い地域もあるだろう。また、観光客に依存したモデルでは昨今のコロナウイルスの事象を見てもわかる通り、影響を受けるリスクがあることも理解する必要がある。

観光客の誘致における基本的な流れは次の通りである。

①観光客に対する地域価値の確認とターゲット明確化
↓
②ターゲットごとに即したアプローチ
↓
③PDCAサイクルによる最適化

この流れに沿って、事例を紹介する。会津若松市では、デジタルDMOというデジタル観光プラットフォームを活用して外国人観光客を誘致している。その効果もあり、2015年から2017年にかけての外国人観光客数は5・3倍に伸びた。同時期の日本全体の外国人観光客数の伸びが1・6倍であることを考慮すると素晴らしい伸び率だ。

会津での観光の取り組みの特徴や、それらを踏まえたポイントを次の4つにまとめた。

［ポイント1］ターゲットやテーマの集中と選択

世界には170以上の国と地域があり、それぞれの言語や風習があることから、全世界からくまなく観光客を誘致することは難しい。外国人観光客誘致には、まずターゲット国とテーマを絞ることが欠かせない。

会津若松市では、「リアル・ジャパン・ライフ（Real Japan Life）」というキャッチフレーズでブランディングした。その意味は、「昔から守られてきた自然・伝統・歴史が生み出す、人々の生活に息づく本来の日本を体験できる場所」。ターゲット客は、「来日3回目の旅行者」とした。なぜ3回目かというと、初の日本旅行で会津若松市に来ることは想定しづらい（日本人が、初めてフランスに行く際、パリに行かず南仏の地方都市を訪れることはまずない）。2回目の旅行では北海道や九州など、初回のゴールデンルート（東京―京都―大阪）では体験できない自然景観の名所を訪れる。そのため、日本が好きで、日本文化についてある程度知っている外国人が3回目に会津に来ることを想定し、本来の日本を体験できる場所の提供をテーマにした。

ほかにも、「提言2」で示した瀬戸内の事例では欧米、中国、中東の富裕層を、ニセコはオーストラリア人スキーヤーをメインターゲットとしているなど、いわゆるゴールデンルートのようなメジャー観光地以外で一定の成功を収めている観光地は、明確なターゲット戦略を持っている。

限られたリソースで効率よく観光客を誘致するためには、まず、自身の地域の観光コンテンツを見つめながら、ブランディングとターゲティングを同時に行う必要がある。

［ポイント2］認知がなければ来訪もない

日本の観光施策で一番多い誤りは、認知のステップを意識しないことだ。観光客は名前を知らない観光地・観光名所を訪れることはない。知らないのだから行きようも調べようもないのだ。

当たり前のことだが、それを認識できていない地域・観光関係者が非常に多い。例えば、観光のブランディングテーマを決め、お金をかけてそのブランドに沿った格好の良いPR動画を作成しても、市のホームページやせいぜいユーチューブにアップロードするだけで、動画再生数は100回程度というものが散見される。観光パンフレットも同じだ。いくらきれいな写真の載ったパンフレットでも、それが市役所やその地域の観光案内所に置いてあるだけでは、ターゲットにリーチできない。

会津若松市においては、海外のインフルエンサーを活用して周知活動を行った。インバウンドのターゲット国の人々が日本への旅行を検討する際に利用するサイトに記事を掲載したほか、海外に日本の情報を発信して人気を集めている外国人ユーチューバーを会津に招聘して動画を作成し、アップロードしてもらうことで、会津の観光情報がターゲットに直接届くようにした。

潜在顧客にリーチしないブランディングやＰＲは意味がないため、認知は十分に意識する必要がある。

［ポイント3］観光客の立場で考えて情報提供

これも日本の観光地で多いのだが、相手のことを考慮せずに、自分たちが魅力と考える観光コンテンツを、一方的にＰＲしようとする傾向がある。少々乱暴な言い方をすると、観光コンテンツの押し売りだ。

極端な話だが、例えば、「おいしい犬肉がある」と宣伝されても、そこに魅力を感じて中国を訪問する日本人は少ない。本来、中国には日本人の好む多様で美味な食事も多いのに、そうした宣伝を目にすることで、中国の食全般に関してネガティブな印象を持つ恐れも出てくる。同様に、外国人観光客に、馬肉や魚介類、日本酒などを名産だからという理由だけでＰＲすることは、効果的とは言えない。食に限らず観光スポットも同じで、写真を撮ることにあまり興味のない人に、「インスタ映えスポット」をいくら紹介しても意味がない。

会津若松市では、まずはターゲット国とした中国、台湾、オーストラリアの3カ国の人々の趣味・嗜好を調査した。そのうえで、インバウンド向け観光ウェブサイト「Visi+ Aizu（ビジット アイヅ）」において、国籍別に観光コンテンツを出し分けている。国籍によって、興味・関心は異なるからだ。その中で、会津の様々な観光コンテンツを紛れ込ませながら紹介することで、会津に来れば多種多様な魅力を堪能できることを外国人に訴えかけ、実際の訪問につなげている。

［ポイント4］データに基づくPDCA

言うまでもなく、ブランディングやターゲティングなどの戦略が正しいか、周知・PRの方法が適切かどうか、常にPDCAサイクルを回そう。その際、KKD（勘と経験と度胸）ではなく、データに基づいた分析・検証を行う必要がある。

会津若松市では、ウェブサイト「Visi+ Aizu」のアクセス状況と周知・PRにかかった費用を集計・分析し、ターゲット国ごとの費用対効果を算出している。その結果、例えば、オーストラリアは費用がかかる割にはサイト訪問につながっていないことが判明したため、最近は中国と台湾のウエイトを大きくしている。ほかにも、会津を訪問した外国人の移動ルートをＷｉ-Ｆｉアクセス履歴で分析するなど、データを活用したマーケティングと評価を常に行っている。

また、「提言1」の宮城県気仙沼市の事例で触れた通り、実際のデータを確認することは、施策がもたらした効果の正しい評価につながり、また、目に見える形で結果がわかるため、観光関係者のやる気や参画率を高める好循環にもつながる。今後は、ＭａａＳ（モビリティ・アズ・ア・サービス）などとも連携することで、観光客の動線がデータとして得られるようになるだろう。そうなれば、マーケティングにとどまらず、観光客向けの交通政策やインフラ政策まで対象にしたＰＤＣＡが回せるようになる。

デジタル時代においては、データに基づき客観的かつ目に見える形で、観光戦略やマーケティングのＰＤＣＡサイクルを回すことが必要不可欠であり、このサイクルを回し続けるために、観光収益を増大させ、その果実を持続的に再投資する仕掛けが欠かせない。

これら4つのポイントを踏まえつつ、先述の「観光客誘致の基本的流れ」を意識して施策を立案・実施することが、観光客の誘致の成功の基本であり、秘訣と言える。

提言

7 企業の誘致

地域で人が暮らしていくためには、収入を得るための「仕事」が不可欠だが、仕事なら何でもいいというわけではない。地方の若者は、地元に魅力的な仕事がないため就職のタイミングで都市に行ってしまう。また、地方での移住をやめて都市に戻ってしまう人の理由の一つが「仕事のやりがい」であることは、アクセンチュアが実施した移住経験者アンケート（第4章参照）からも明らかになっている。そのため、単に働く場を用意するだけでなく、真にやりがいのある仕事を企業とセットで誘致するのが理想だ。

ただし、企業や産業を誘致するうえで共通して重要な視点がある。一つは、当該企業がその地に存在し続けること、もう一つは、安い労働力をあてにした工場やサービス拠点ではなく、やりがいのある、高付加価値の仕事を誘致する工夫が必要ということだ。

また、安い労働力だけを売りにすれば、価格競争で海外に負ける可能性がある。アクセンチュアは、図9-1のように「機能全体の移転」が必要だと考えている。従来の支店や営業所が、組織階層構造における下部機能であるとするなら、機能移転は、ある部門の戦略から実行まで丸ごと移転することだ。

図9-1：機能移転のイメージ

これまで

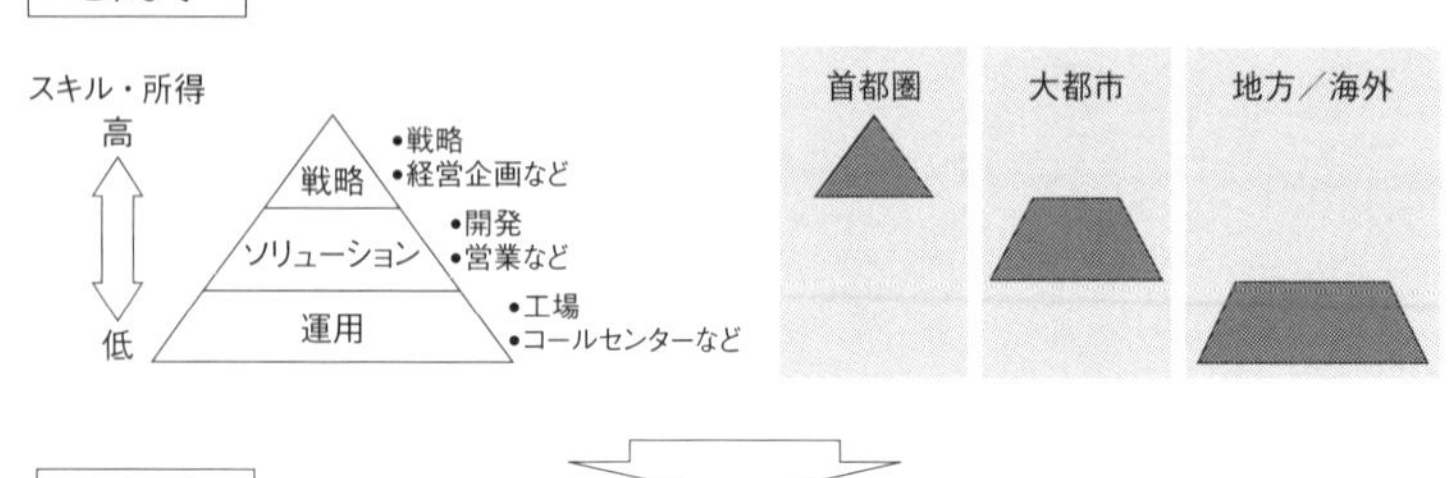

これから

方向性①
首都圏の高付加価値機能の
一部を地方へ移転

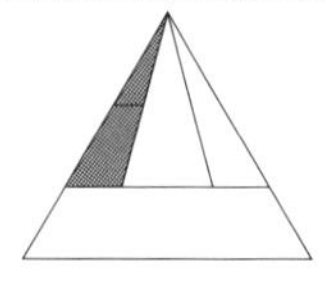

方向性②
次世代を担う産業の
地方での育成

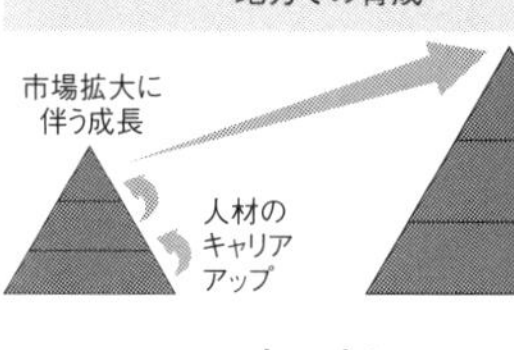

例えば、「提言1」の会津若松市の事例で触れたように、アクセンチュアではすでにスマートシティ関連部門を会津若松市に機能移転し、上流の戦略立案から実行までの仕事を実施している。

このような機能移転型の企業誘致を実現するための基本的な流れは次の通りだ。

①地域の特色に基づく戦略決定

←

②ブランディングとマーケティング

←

③移転試行場所の整備（必要になったら本格移転場所の整備）

会津若松市の事例がわかりやすいので、参

考にしながら説明したい。結論を先に言うと、会津若松市においてはＩＣＴ関連企業やスマートシティ関連企業の集積に向けて実施した各種取り組みの結果、２０１９年４月にＩＣＴオフィスビルであるスマートシティＡ・ｉＣＴ（アイクト）を開設し、ＩＣＴ関連企業が続々と集積する場所となった。

［ポイント１］地域の特色に基づく誘致戦略を打ち出す

先に述べた通り、地方における企業誘致と言えば、安い土地や労働力を背景とした工場などの誘致が基本だった。しかし、ＩＣＴ技術が発展したグローバル時代では、地方の競争相手は全世界となり、より安い労働力を提供する海外に雇用を奪われてしまった。コストだけで戦うと、どうしてもそうなる。

逆に言えば、中長期的に企業に根づいてもらうためには、企業の機能移転の理由が、その地域の強みや環境などの独自性と重なる必要がある。実際に、会津若松市においては、会津大学というＩＣＴ専門大学がある強みを生かして、スマートシティの実証地となる戦略を立てた。「提言１」で紹介した山形県鶴岡市の事例でも、誘致した大学を核として企業誘致に成功している。

大学や研究機関の存在を活用する以外にも、国家戦略特区制度の活用や規制緩和を実現することで他の地域と差別化することも考えられる。また、「提言2」で紹介したように、ほかの自治体と連携して地域全体で「共創バリュー」を出しつつ差別化してもよい。

大切なのは、何らかの形で差別化することだ。「安い土地があります！」ということだけをＰＲしても、残念ながら企業には響かず、仮に移転しても長続きしない。


［ポイント2］地域で一体感のあるブランディングと粘り強いマーケティング

地域の特色を生かした誘致の方向性が決まったら、ブランディングとマーケティングを並行して実施する必要がある。ブランディングについては、当然、対外的な見え方への意識も必要だが、むしろ重要なのは地域内ブランディングだ。企業の機能移転はＩＣＴ技術によってハードルが下がっているものの、コスト面も含め経営者にとっては一大決心であり、そう簡単に決められることではない。企業側も地域の入念なリサーチを行う。市民や地元企業、行政が一体となり、自分たちの地域には何があり、どんな地域にしていきたいのかを考え、結果としてその思いが共有できていない限り、うわべだけの取り組みとなってしまう。企業はリサーチでそれを見抜き、失望して、移転を諦めるのだ。

また、マーケティングは非常に時間がかかる。そもそも企業を誘致できるほどの魅力的な環境を構築するには、地域が一体となって必死に取り組んでも時間がかかる。また、ターゲット業界や関係省庁などに認知されるために、業界ごとのインフルエンサーを活用しても、それなりの時間を要する。実際、会津若松市の取り組みにおいては約5年の年月を費やした。

このように、企業誘致とは非常に息の長い取り組みであり、地域が一体となって粘り強くブランディングとマーケティングを並行して実施する必要がある。

[ポイント3] 移転場所（箱モノ）は需要が発生してから用意する

難しいのは企業を誘致することであり、箱モノであるビルを建てることではない。先に箱モノをつくってしまうと、無理にそのオフィスを埋めようとするため、失敗するリスクが高くなる。

会津若松市においても、当初はスマートシティ施策を実行しつつ、会津若松市内への移転を検討する企業が試行するためのサテライトオフィスを、古民家などを活用して整備した。いくつかの企業が実際にサテライトオフィスに入居する中で、企業側と地域側の双方が徐々に感触を探っていった。

その後、会津若松市が日本を代表するスマートシティの一つとなり、日々、官民を問わず様々な人々が視察に訪れるようになった。それを受けて、企業の本格誘致ができると判断し、スマートシティＡｉＣＴを建設した。当然、ビルの規模についても、誘致可能性の高い企業を中心に入居人数に当たりをつけて、過不足がないように決めていった。

つい先に移転場所やビルの建設から考えてしまいがちだが、企業移転の需要さえあれば、移転場所の供給は比較的容易だ。まずは、需要を生み出すことに全力で注力しよう。

繰り返しになるが、住民、観光客、企業とそれぞれ表現に多少の違いはあれ、誘致する際に根底となる考え方は同じであり、その第一歩は、実現したい価値を突き詰め、それを生き残るための戦略のコア（核）とすることだ。そのうえで、価値実現を最大化するターゲットを定め、必要な打ち手を実行する。現実に即して長期的な見通しを立てつつ、ＰＤＣＡのサイクルも回しながら、時には臨機応変に素早く調整する。息の長い取り組みを、真摯に誠実に粘り強くやり抜こう。

何事もそうだが、具体的な実行フェーズでは思わぬ障害や苦難に遭遇する。住民の誘致、観光客の誘致、企業の誘致——それらをやり抜くには胆力と覚悟が必要だ。しかし、放っておいても誰も手伝ってはくれない。勇気を持って、ぜひ実行に向けて一歩踏み出してほしい。

本書では、私たちなりに突き詰めた地方創生に向けたデジタル時代ならではのアプローチや、参考事例をお伝えしてきた。物事が非常に速いスピードで変化していく中で、執筆中に「この事例も入れたい」と思うことが何度もあったが、キリがないのでいったんここで筆を置く。本書が何かしらのヒントになり、「デジタル×地方」がQoLエコノミーを牽引することで、日本の未来を少しでも明るい方向に変えるきっかけになれば幸いである。

おわりに

地方創生を実現するための最大の課題――人材

人材がいない――。

地方創生に関する議論を各地でする中で、何度も聞くのがこの言葉だ。

デジタル時代において、地域が独自性・多様性をもって地方創生を実現するには、デジタルテクノロジーの活用や、データに基づく施策立案が欠かせない。しかし、どの自治体も共通して悩んでいることの一つが、人材の欠如だ。地方だけでなく、国全体で正しい人材育成や既存人材のリスキリングをしていかなければ、将来必要な人材が不足するのは火を見るよりも明らかだ。

New Skills Now

アクセンチュアは企業市民活動（一般的に言うCSR活動）における世界全体の活動方針を「Skills to Succeed（スキルによる発展）」と定めている。これは、将来にわたる持続的な企業の成長のためには、活動する国・地域の経済成長が必須であり、その成長を長期的目

図：これから求められる6つのスキル

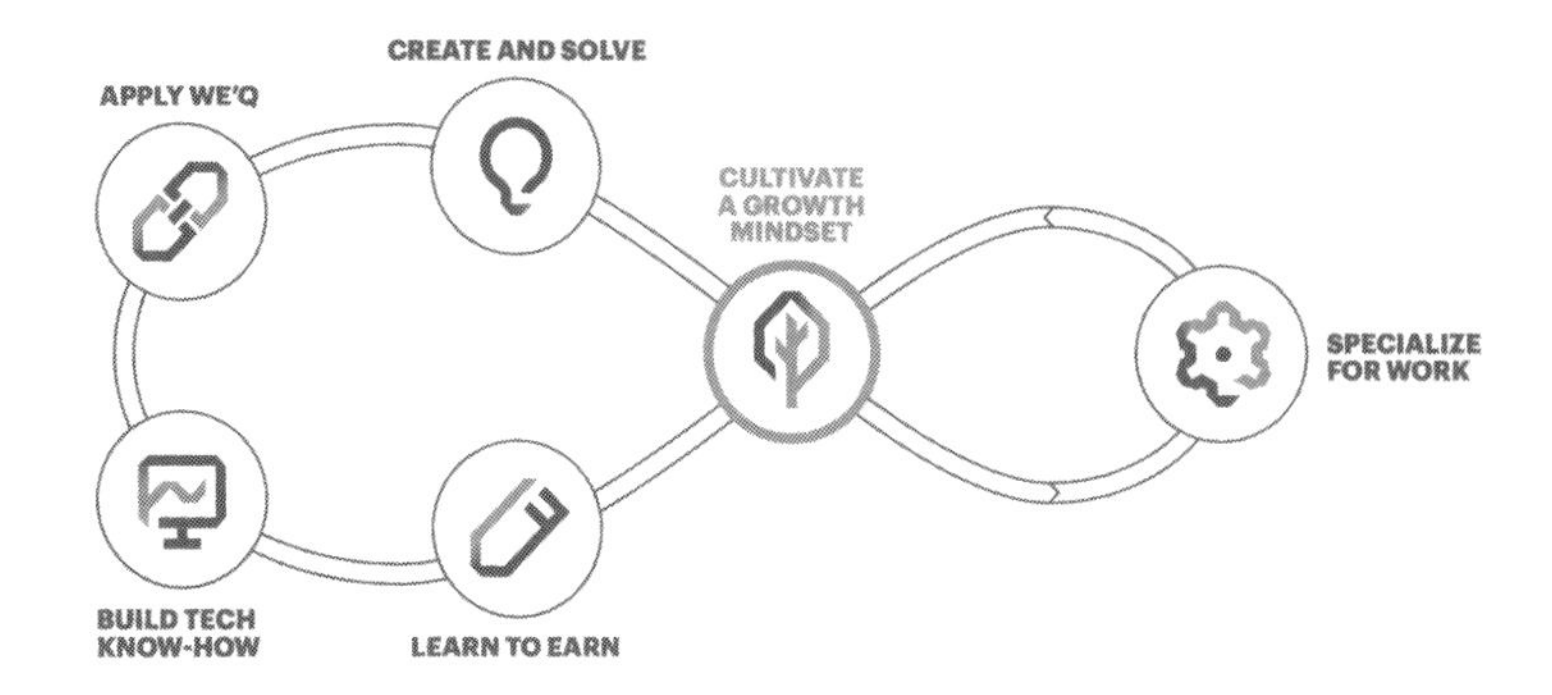

- Apply We'Q
  リアル・バーチャルな接点を通じて関係する人々との協働を行うために必要な、相互関係性構築と自己主張能力
- Create and Solve
  共感、論理、発想を駆使し創造的問題解決を行う能力
- Build Tech Know-How
  デジタル技術とデータをつくりだし、駆使する能力
- Learn to Earn
  職を得て働くために必要となる基礎力
- Cultivate a Growth Mindset
  変化に対応し成長するために学び続ける姿勢・能力
- Specialize for Work
  各地域・産業で必要となる専門知識・能力

線で実現する取り組みは人材育成であるという考えに基づいている。

アクセンチュアでは、Skills to Succeed を進めるに当たり、今後デジタル化が進む世界において労働者に求められるスキルを「New Skills Now」として定義した（詳細は以下のレポート参照 https://www.accenture.com/_acnmedia/pdf-63/accenture-new-skills-now-inclusion-in-the-digital.pdf）。1億9000万件の求人情報を分析し、今後増えると見込まれる職種で必要とされているスキルを抽出したものをベースとしている。詳細は、前述のレポートに譲るが、そのスキルは前ページの6つのテーマに分類され、各テーマについて基礎・標準・マスターの3つのレベルに分解。合わせて65のスキルが定義されている。

特に今後の世界においては、最初の3つが非常に重要だ。国・自治体・教育機関はもとより、企業や社会セクターにおいても同様のスキル定義に基づいた教育や、従業員のリスキルを進めていく必要がある。

では、どうしたらこのようなスキルを習得することができるのか。

最近、「STEM（Science, Technology, Engineering, Mathematics）」やそれに「Art」の「A」を足した「STEAM教育」といったワードがはやり、プログラミング教室やロボティクス教室が各地に増えている。そうした基礎教育の場はそれなりに必要だが、教室を飛び出した学びこそ重要と感じる。アクセンチュアの社内でそれぞれトップデータサイエンティスト、トップエンジニアとして活躍している二人に、幼少期からどんな育てられ方をしたのか話を聞くと、興味深い共通項が見つかった。今後の人材教育の大きなヒントとなるので、最後に紹介しておきたい。

保科 学世氏

建築家の父親と音楽家の母親のもとに生まれる。父親は日頃から絵を描いたり、**子どもにもアートに触れる機会を与えた**。保科氏は建築以外にも日常的に美術品によく触れていた。そのため、大人になっても絵画や彫刻が趣味で、大学でも美術サークルに属し、今でも複数の美術館・博物館の年間パスポートを持つほどの美術愛好家である。

一方で、子どもの頃より好奇心旺盛な性格で、**物心ついたときからモノを分解してはつくる**のが趣味で、**中学生の頃には電子工作に没頭**していた。**コンピューターとの出会いは、小学生のとき、**先生が持っていた富士通製の8ビットPCに触れ、プログラミングにはまったのがきっかけ。以降、両親におねだりして自身のPCを手に入れ、没頭した。

高校生時代は、受験に役に立つ勉強とは離れたところで、その時々に興味を持つことを深く楽しんだ。両親も、人と違うことに没頭する彼を否定しなかった。世の中の現象を数式で表現することに興味を持ち、物理の勉強を始め、結局、そのまま物理と化学、両方の世界を説明できる物理化学で博士号を取るまで突き詰めた。

一方で、テクノロジーに対する興味は尽きず、大学と大学院時代は、研究に役立つと思えば積極的に最新テクノロジーの導入を進め、研究室に最新の実験機器やコンピューター（ワークステーション）を導入し、ネットワークを構築した。そして、それらを動かすシステムの構築、さらには専門ソフトウェアの開発も進めた。アクセンチュアですぐに役立つテクノロジー知識は、その過程で身につけた。

保科氏は、**物事を考える際、言語で考えるより空間上のイメージで**様々な事象を結びつけながら思考する。そして、それを空想ではなく、モノを手でつくりながら考え、検証し、実践していくことを信条としている。現在、保科氏はアクセンチュアにおいて、ＡＩやアナリティクス関連ビジネスを統括し、世に新たなソリューションを生み出し続けている。

山根 圭輔氏

日本橋で金属飾りの町工場を経営していた祖父母の家に、3世代の大家族で育つ。子どもの頃から溶接など工場の手伝いをすることで、**「物は買うよりつくるもの」**と考えるようになり、電子工作も覚えて何でも自分でつくろうとした。子ども時代の山根氏が何かをつくりたいと言うと、父親や祖父が材料を与え、まずはチャレンジさせ、聞けば何でも教えてくれたという。

父親は武蔵野美術大学を卒業後、ショーウィンドーのデザイナー会社を一人で経営。デザイン業界はパソコンの普及とともにDTP（デスクトップパブリッシング）などが登場し、デジタルによるディスラプトが起きた業界だ。その頃、大学生の山根氏は、父親にパソコンの操作や、グラフィックデザインソフトのイラストレーターの使い方を教え、導入を促した。さらに、大学生時代は個人でホームページやアドビ・フラッシュで動く動画制作のアルバイトを経験した。

東京工業大学生物工学科を卒業し、研究者になるべく東京大学大学院生化学専攻に進学したが挫折。家族がみな自営業の中でサラリーマンになり、今も両親から「そろそろちゃんと仕事しろ」と言われる。

デジタルに初めて触れたのは小学校6年生の頃。株の売買を始めた叔父が、パソコン通信による情報収集のために購入した。本を見ながら、叔父のパソコンを**トライ&エラーで設定**したのが、パソコンとネットワークのすごさを認識した初めての経験だった。当時はやっていた音楽バンド、TMネットワークに憧れ、プログラムしてシンセサイザーの音を出すことにハマる。それ以降、デジタルテクノロジーを使うことに目覚める。

アート関連では、父親の影響もあり絵を描くことが好きで、今でも旅行に行くとスケッチをする。また、小さい頃にはピアノ教室にも通っていた。

算数は嫌いだが数学は好き。数学ができるようになるには、微積分や複素数など**抽象概念を抽象のまま受け入れるイニシエーションが必要**だという。一度、抽象概念をそのまま受け入れることができると新しい世界が開ける。その新しい世界で抽象を具現化していくことが非常に楽しい。

また両親は、本であれば、漫画だろうが何だろうが、制限なく買ってくれた。そのため、**子どもの頃から本の虫**で、『こどもの科学』のような雑誌から、天文ガイド、『シートン動物記』、ミヒャエル・エンデまで、歴史、純文学、SF系、少女漫画、ギャグ漫画などジャンルを超えて読みあさる。今でも、文字を読まないと落ち着かない。

山根氏は言う。今の自身の人材力を支えるのは、「1万時間の法則」×「好奇心」。1万時間の法則は、一流になるには正しい努力を1万時間続ける必要があるという有名な理論だが、1万時間もの努力を実現するには、好きであるか、好きになる必要があり、その「好き」が続く必要がある。そのためには、動機として強い好奇心が欠かせない。

「好き」には先天的な場合と、親を含め周囲が楽しそうにしているものを「好き」になる場合がある。山根氏は祖父母・両親の好きに支えられ、自らも**好奇心を「一番信じられるもの」**と感じ、畑違いの世界であっても好奇心によって「好き」になれると信じている。

現在、アクセンチュアにおいてエンジニアを統括し、様々なデジタル変革をリードしている。

読んでいただいた通り、二人には、単にＳＴＥＡＭ的な素養があるだけでなく、「本来の好奇心を妨げられることなく追及できた」「失敗を恐れず自ら試行錯誤する姿勢」などの共通点が見られる。人材力の強化、特に子どもたちの教育に当たっては、プログラミングやロボティクスを「勉強」として押しつけるのではなく、ワクワクした好奇心・探求心を持って自律的に取り組ませるようなサポートや、子どもたち自らが目的意識を持って試行錯誤を繰り返せる環境の提供が必要だと思う。

昔から言われるように、資源がない国である日本にとって、人材は非常に重要な資産だ。この資産を科学的な手法を用いながら幅広い層で伸ばしていくことが急務と考える。

アクセンチュアは、その科学的手法による人材育成を実現するため、様々な企業・教育機関・非営利法人が共創する場を提供する団体「一般社団法人　次世代教育・産官学民連携機構（https://www.cie-jp.org/）」を立ち上げた。活動内容の詳細はここでは割愛するが、長期的な地方創生に向けて必要な取り組みを推進している。

本書の執筆に当たり、アクセンチュアの牧岡宏氏、海老原城一氏、中村彰二朗氏との深い議論なしでは、地方創生を多方面から考察するという作業を深められなかった。感謝の意を示したいと思います。保科学世氏、山根圭輔氏には、技術的な確認や生い立ちからの教育などについてインタビューに応じていただき、ありがとうございました。廣瀬隆治氏、吉竹正樹氏、伊藤剛氏、矢野裕真氏、福田隆之氏、久池井淳氏、込山努氏、木全大地氏からは多大な情報提供をいただき、非常に参考になりました。また、内田悠介氏、村井遊氏、今島樹氏、笹山悦宏氏が、本書で示した各種分析・調査を推進しました。この調査・分析なしでは、ここまでの洞察は得られませんでした。感謝の意を示したいと思います。

最後に、日経ＢＰの沖本健二氏、アクセンチュアマーケティング・コミュニケーション本部の中須藤子氏、高坂麻衣氏にはあらためて多大な感謝を申し上げます。

江川　昌史
（アクセンチュア株式会社 代表取締役社長）
藤井　篤之
（アクセンチュア株式会社 ビジネス コンサルティング本部
ストラテジーグループ マネジング・ディレクター）

著者紹介

江川 昌史 Atsushi Egawa

アクセンチュア株式会社 代表取締役社長。1989年慶應義塾大学商学部を卒業。同年アクセンチュアに入社。製造・流通業界を中心に、通信、ハイテク、素材・エネルギー、公共サービス領域など、多岐にわたるお客様のプロジェクトを指揮。主に、戦略立案、構造改革、新規事業立ち上げ、デジタル変革、大規模アウトソーシングプロジェクトなどの案件を主導した。2000年にパートナーに就任。消費財業界向け事業の日本統括を歴任し、2008年10月に執行役員 製造・流通本部 統括本部長に就任。2014年12月に取締役副社長就任、2015年9月より現職。経済同友会幹事。近著に『アクセンチュア流 生産性を高める「働き方改革」』(日本実業出版社)がある。

藤井 篤之 Shigeyuki Fujii

アクセンチュア株式会社 ビジネス コンサルティング本部 ストラテジーグループ マネジング・ディレクター。2007年にアクセンチュア戦略コンサルティング本部に入社。以降、公的サービス領域(官公庁・自治体・大学・公益団体など)のクライアント向けを中心に、調査・コンサルティング業務を担当。現在は、民間企業も含め産業戦略から事業戦略、各種調査事業における経験多数。主に、農林水産業や観光、スマートシティをはじめとする地域経済活性化、ヘルスケア領域を専門とする。国による地域企業支援の取り組み、グローバル・ネットワーク協議会において食・農業領域の分野別エキスパートを務める。

デジタル×地方が牽引する
2030年日本の針路

2020年6月8日　第1版第1刷発行

著者	江川 昌史、藤井 篤之
発行者	村上 広樹
発行	日経BP
発売	日経BPマーケティング 〒105-8308 東京都港区虎ノ門4-3-12 https://www.nikkeibp.co.jp/books/

ブックデザイン	小口 翔平＋喜來 詩織＋三沢 稜(tobufune)
DTP・制作	河野 真次
編集担当	沖本 健二
印刷・製本	中央精版印刷株式会社

ISBN 978-4-8222-8888-4　Printed in Japan